GANEMOS
a los
TESTIGOS

Daniel Rodríguez

Editado por David W. Daniels

CHICK
PUBLICATIONS
Ontario, Calif 91761 EUA

Si desea una lista de los distribuidores en su área, llame al (909) 987-0771, o visite **www.chick.com**

Título original: Winning the Witnesses

Derechos reservados © 2008 por Daniel Rodríguez

Publicado por:
CHICK PUBLICATIONS
P.O. Box 3500, Ontario, CA 91761-1019, EUA
Telf.: (909) 987-0771
Fax: (909) 941-8128
Web: www.chick.com
Email: postmaster@chick.com

Impreso en los Estados Unidos de América
Printed in the United States of America

ISBN: 978-07589-0716-5

Todas las citas bíblicas en este libro se han tomado de la versión Reina-Valera-Gómez 2004 y de la Traducción del Nuevo Mundo de las Santas Escrituras (Watchtower Bible and Tract Society of New York, Inc., 1987).

Las citas acerca de la religión de los Testigos de Jehová son de las publicaciones originales en inglés o español de Watchtower Bible and Tract Society. Pueden verificarse en cualquier edición del CD-ROM de Watchtower o en la Biblioteca Teocrática de cualquier Salón del Reino.

En este libro nos referimos a la organización de la Sociedad de Biblia y Tratados Watchtower como "Watchtower" o "Sociedad Watchtower". La revista publicada por la Sociedad Watchtower es mencionada aquí como "*Atalaya*" o "*La Atalaya*".

PRIMERA PARTE
Fundamentos de la Teología de la Sociedad Watchtower

1 **La Sociedad Watchtower: La Fuente de Interpretación y Control** 13

- Por qué los Testigos de Jehová dependen de la Sociedad Watchtower 16

- Cómo controla la Sociedad Watchtower a los Testigos de Jehová 19

2 **El Propósito y el Valor Eterno de Watchtower** 25

- Cómo entrena la Sociedad Watchtower a los Testigos de Jehová 28

- Su principal libro de estudio 29

- Desafío y debilitamiento del mensaje de la Sociedad Watchtower 33

- ¿Basan sus creencias sólo en la Biblia? 33

- Cómo guiar al Testigo a cuestionar si la Sociedad Watchtower es necesaria 35

- ¿Es La Atalaya inspirada por Dios? 37

- Profecías falsas de Watchtower 40

SEGUNDA PARTE
Desarrollo de una Estrategia Evangelística Efectiva

3 Elementos Clave para una Evangelización Efectiva 47

- Implemente su estrategia evangelística 48

4 ¿Murió Jesús en una Cruz? 55

- Indecisión en la Sociedad Watchtower 57
- ¿Qué dice la Biblia respecto a cómo murió Jesús? 61
- Implemente su estrategia evangelística 63
- La decisión de seguir la verdad 67

5 ¿Quién Resucitó a Jesús? 69

- Jehová Dios resucitó a Jesús 70
- El papel de Jesús en Su propia resurrección 72
- El papel del Espíritu Santo en la resurrección de Jesús 73

TERCERA PARTE
La Salida de Watchtower

6 El Costo de Salir de la Sociedad Watchtower 79

- El trauma de una fe destruida 80
- La pérdida de la familia y la seguridad 82
- Aferrados al pasado 85
- Sea paciente al discipular 87

7 Cómo Presentar el Plan de Salvación 89

- Su estrategia evangelística 91
- Tácticas de los Testigos de Jehová 92
- Preguntas para los Testigos 93

8 El Recorrido Hacia la Gracia 103

- Consejos para el discipulado 104
- Cuéntele su testimonio 104
- Participen en actividades 105
- El problema de la confianza 106
- La decisión de aceptar a Cristo 107
- A Dios le agrada dar 109

Apoyo totalmente el método, el contenido y el estilo de *Ganemos a los Testigos*. Daniel ha estudiado el tema con diligencia y tiene la experiencia.

—Don Nelson
Ex misionero de los Testigos de Jehová
y Superintendente de Circuito en Brasil y EUA

Mi hija de 12 años usó las estrategias de Daniel para evangelizar a una compañera que era Testigo de Jehová. En sólo unas semanas el evangelio llegó al resto de la familia. Mi hija guió a su amiga al Señor. Después de un tiempo, toda la familia aceptó a Cristo, incluyendo a un tío y su familia. Ellos habían estado en Watchtower por 27 años. Ahora sirven al Señor.

Nuestra vecina había estudiado con los Testigos durante casi un año y estaba lista para ser bautizada en la organización. Daniel Rodríguez nos mostró cómo evangelizarla. Puesto que ella había completado su adoctrinamiento, la resistencia fue fuerte, pero, dos días después, reconoció que Watchtower no es de Dios y le entregó su corazón a Cristo.

Un vecino, Testigo de Jehová, vino para presentarme sus creencias. Usando las estrategias que me enseñó Daniel Rodríguez, lo guié a darle su corazón a Cristo. No pudo rechazar la sabiduría de la estrategia evangelística y ya no pudo seguir siendo Testigo de Jehová. Actualmente él sirve al Señor.

Prefacio

Imagine qué pasaría si tuviera un método nuevo y fresco, una "llave" que abriera el corazón y la mente de los Testigos de Jehová. Imagine qué sucedería si, después de lograrlo, pudiera presentarles eficazmente las buenas nuevas de Jesucristo.

Para hacerlo, debe comprender cómo los Testigos llegan a adoptar sus creencias. De otro modo, su discusión se convertirá en una competencia de recitación de textos bíblicos que produce poco o ningún resultado.

Muchos cristianos, con buenas intenciones, generalmente chocan con una barrera invisible, una brecha de comunicación entre ellos y los Testigos de Jehová. Para cruzar esa brecha, el cristiano debe saber que el Testigo sólo entiende e interpreta la Biblia a través de la autoridad de la Sociedad de Biblia y Tratados Watchtower. Él no tiene libertad para interpretarla en forma personal o privada. Para evangelizarlo eficazmente, el cristiano debe estar preparado para cuestionar la autoridad de Watchtower.

La primera parte de este libro describirá los fundamentos de la teología de Watchtower, para mostrarle en qué radica el problema de comunicación entre el cristiano y los Testigos de Jehová.

La segunda parte le enseñará estrategias efectivas de evangelización, mostrándole cómo despertar dudas en la mente del Testigo de Jehová respecto a la autoridad de La Atalaya. La brecha de comunicación no se halla en el Testigo como individuo; el problema es la autoridad a la que se ha sometido esa persona.

Mientras el Testigo de Jehová lea la Biblia a través de los lentes oscurecidos de la Sociedad Watchtower, ningún argumento o texto de prueba lo persuadirá. Continuará defendiendo lo que sostiene como la verdad, tal como se la reveló la organización de los Testigos de Jehová. Sin embargo, si usted destruye su confianza en la autoridad de Watchtower, tendrá un candidato listo para escuchar el evangelio puro de Jesucristo.

Tenga en mente que cuando van de casa en casa, los Testigos tienen como misión enseñar las verdades públicas de su religión. El cristiano, por su parte, piensa que debe cumplir la Gran Comisión entrando en combate para persuadir al Testigo de Jehová de que está equivocado. Esta estrategia rara vez funciona. *Debemos actuar con sabiduría al evangelizar a los Testigos de Jehová.* Las estrategias que presentamos en este libro han sido probadas ganando para Cristo a muchos Testigos de Jehová.

Mi oración es que Dios use a Su pueblo para guiar a muchos a salir de la Sociedad Watchtower y entrar al Reino de Su amado Hijo.

Primera Parte

Fundamentos de la Teología
de la Sociedad Watchtower

CAPÍTULO 1

La Sociedad Watchtower: La Fuente de Interpretación y Control

T. de J.: Buenos días.

Cristiano: Buenos días.

T. de J.: Somos ministros y esta mañana estamos visitando su vecindario. Seguramente usted estaría de acuerdo en que la condición de este mundo está empeorando y parece no haber esperanza de una verdadera solución.

Cristiano: Sí, así es. ¿Son ustedes Testigos de Jehová?

T. de J.: Ah... sí, lo somos.

Cristiano: Les agradezco que hayan venido, pero mi pastor me ha dicho que ustedes realmente no leen la Biblia.

T. de J.: Disculpe que lo contradiga, pero su pastor está equivocado. Nosotros sí leemos la Biblia.

Cristiano: Pero leen otra clase de Biblia.

T. de J.: Bueno, no es eso lo que nos interesa tratar hoy. Estamos aquí para anunciarle que hay esperanza para el sistema actual del mundo. Como sabe, vivimos en un tiempo que probablemente sea el más violento que la humanidad haya conocido, y Dios...

Cristiano: Sí, tal vez sea cierto, pero me han dicho que los Testigos de Jehová son una secta. Dígame, ¿qué cree acerca de la esperanza de ir al cielo para todos los que aceptan a Jesús como Señor? ¿No debería ser ese el verdadero mensaje del evangelio?

T. de J.: Este, disculpe, pero no somos una secta y no queremos ir al cielo. Nuestra esperanza es permanecer en el paraíso en la tierra.

Cristiano: ¿Qué? ¿Por qué no quieren ir al cielo? Jesús dijo: "Yo soy el camino y la verdad y la vida". También dijo que iba a preparar un lugar para nosotros y, donde Él está, también nosotros podemos estar.

T. de J.: Bueno, evidentemente usted tiene otras cosas en su mente además de pensar en cuál es la voluntad de Dios para usted. Gracias por su tiempo.

Cristiano: ¡Espere! Tengo otra pregunta acerca de...

T. de J.: Señor, no vinimos aquí para debatir. Es obvio que usted no está dispuesto a recibir la verdad. Gracias por su tiempo.

Este escenario se ha repetido innumerables veces en

hogares por todo el mundo. Los cristianos piensan que si presentan suficientes textos bíblicos como pruebas y "dominan" a los Testigos de Jehová, de alguna manera los persuadirán de que están equivocados y les harán comprender el verdadero mensaje del evangelio de Cristo Jesús.

El resultado es que ambas partes arguyen y cada uno procura persuadir al otro de su error. Cuando el Testigo se va, el cristiano tal vez se sienta triunfante, creyendo que defendió bien sus creencias.

Lo que el cristiano no sabe es que a los Testigos los entrenan concienzudamente para responder a quienes se opongan a su mensaje. Puedo asegurarle que esa discusión nada logró.

Los Testigos tienen a su disposición una herramienta muy potente y son peritos en su uso. Esa herramienta son las publicaciones de la Sociedad Watchtower. Para los que no están cimentados en la Palabra de Dios, la Sociedad Watchtower es una fuerza muy persuasiva y poderosa como para enfrentarse a ella.

Mientras escribimos este libro, 6'741,444 personas en todo el mundo han aceptado el mensaje de la Sociedad Watchtower como su verdad.

De esta cifra impresionante, aproximadamente el 50% eran católicos y casi el 20% pertenecían antes a las diversas denominaciones protestantes. Eso no incluye a los Testigos que fueron criados en esta religión a lo largo de sus 128 años de historia.

Por qué los Testigos de Jehová
dependen de la Sociedad Watchtower

¿Cómo reaccionaría usted ante una interpretación pagana de la Biblia? ¿Permitiría que un pagano le enseñara, y se sujetaría al liderazgo y a la teología de esa persona como su autoridad? La respuesta es "¡No!"

Debe saber esto: a los Testigos de Jehová les enseñan que, aparte de la Sociedad Watchtower, todas las religiones son de origen pagano. Creen que, en 1919, Jehová Dios fundó la Sociedad Watchtower sólo para poseer las verdades que habían estado proclamando desde julio de 1879.

Usted nunca aceptaría como verdad la interpretación de la Biblia hecha por un pagano. Pues bien, la opinión de los Testigos de Jehová acerca de usted y su teología es la misma que usted tiene en cuanto al paganismo. A los Testigos les enseñan que todo lo que usted, como cristiano, considera verdad —incluyendo la Trinidad y la persona del Espíritu Santo— proviene de raíces paganas.

¿Qué mensaje llevan ellos de casa en casa?

Aunque le parezca increíble, llevan la interpretación de la Sociedad Watchtower acerca de la Biblia para tratar de destruir el paganismo. Cada Testigo lleva este mensaje como emisario de la Sociedad Watchtower, lo cual irrita a muchos cristianos. Pero, éstos han cometido un tremendo error: piensan que los Testigos de Jehová son el "problema". Y no lo son. Los verdaderos enemigos son las doctrinas que la Sociedad Watchtower enseña, no los Testigos mismos.

Sin la interpretación de la Sociedad Watchtower acerca de la Biblia, los Testigos no podrían seguir adelante espiritualmente. Su revista declara:

> A menos que estemos asociados con este canal o conducto de comunicación que Dios utiliza [los líderes de la Sociedad Watchtower], no adelantaremos en el camino hacia la vida, prescindiendo de cuánto leamos la Biblia.[1]

La Sociedad Watchtower enseña que uno necesita estar en contacto con el "canal humano" de Dios para entender la Biblia correctamente.

> Jehová Dios hizo que la Biblia se escribiera de tal manera que fuera necesario a las personas estar en contacto con Su conducto humano antes de que pudieran entender la Biblia plenamente y con exactitud.[2]

La Sociedad Watchtower también enseña que la gente necesita a la "organización visible de Jehová" para entender la Biblia:

> La Biblia, entonces, es un libro organizacional y pertenece a la congregación cristiana como organización, no a individuos, sin importar qué tan sinceramente puedan ellos creer que pueden interpretar la Biblia. *Por esta razón no se puede entender la Biblia correctamente*

---

1) *La Atalaya*, junio 1, 1982, p. 27.
2) *La Atalaya*, julio 1, 1981, p. 17.

sin tener en mente a la organización visible de Jehová.[3]

Al leer estas declaraciones, resulta evidente por qué los Testigos de Jehová dependen únicamente de la interpretación que la Sociedad Watchtower hace de la Escritura. Es evidente también que, cuando llegan a la puerta de su casa, el mensaje que llevan no es *de ellos* sino de la Sociedad Watchtower. Esta es la autoridad a la que los Testigos de Jehová se han sometido.

La interpretación de la Biblia que hace la Sociedad Watchtower no puede ser penetrada con lo que ellos consideran como nuestros "argumentos paganos".

Por esta razón rechazan los argumentos que usted les presenta cuando usa la Biblia para evangelizarlos: usted es "pagano" y no está en contacto con la "organización visible de Jehová", de acuerdo con lo que les enseñan que deben creer.

Resumen

- Los Testigos de Jehová creen que la interpretación que usted hace de las Escrituras es de origen pagano.

- Puesto que se han sometido a la autoridad de Watchtower, creen que Jehová Dios entregó Sus verdades solamente a la Sociedad Watchtower.

- El mensaje que los Testigos de Jehová llevan de puerta en puerta es la interpretación de la Biblia que hace

---

3) *The Watchtower*, octubre 1, 1967, p. 587. Traducción libre.

Watchtower. Creen que eso ayudará a destruir el paganismo.

- El verdadero enemigo es lo que dice la Sociedad Watchtower, no los Testigos mismos.

- Los argumentos bíblicos que usted pudiera presentar no dan resultado porque los Testigos creen que esa interpretación de la Biblia proviene de fuentes paganas.

- La Sociedad Watchtower enseña que la Biblia "no puede entenderse propiamente sin tener en mente a la organización visible de Jehová [incluyendo la revista *La Atalaya*]".

- El mensaje del Testigo de Jehová no es la "verdad bíblica" que aprendió por sí solo; es la "verdad bíblica" que la Sociedad Watchtower le *dio*.

Cómo controla la Sociedad Watchtower a los Testigos de Jehová

Para entender a los Testigos de Jehová, usted debe saber cómo piensan. Sólo entonces comprenderá por qué usan *La Atalaya* en su estrategia para testificar.

Los Testigos creen que la fe que usted tiene es influenciada por el paganismo; por tanto, necesita estar bajo el control de la autoridad e interpretación bíblica de la Sociedad Watchtower.

Recuerde esto: más de la mitad de los Testigos que tocarán

a su puerta fueron antes católicos, y aproximadamente 20% eran protestantes. Ellos *ya saben* lo que usted cree.

Los siguientes puntos mostrarán que no sólo la fuente del mensaje de los Testigos, sino su razonamiento y pensamiento provienen *únicamente* de lo que enseña la Sociedad Watchtower. El Testigo tan solo imita lo que la Sociedad desea que él sea: una revista *Atalaya* andante.

PUNTO 1: La Sociedad Watchtower usa *La Atalaya* para enseñar las "verdades bíblicas" de Jehová, pero también utiliza estas publicaciones para mantener a sus seguidores en estricta obediencia.

> Las personas teocráticas [Testigos de Jehová] apreciarán la organización visible del Señor y no serán *tan necios como para poner su propio razonamiento y sentimientos humanos, y sus emociones personales contra el conducto de Jehová".*[4]

> [El Testigo de Jehová] *No defiende sus opiniones personales ni se obstina en ellas, y tampoco alberga ideas propias en cuanto al entendimiento bíblico.* En vez de eso, confía por completo en la verdad que revela Jehová Dios a través de su Hijo, Jesucristo, y "el esclavo fiel y discreto" [el liderazgo de Watchtower].[5]

---

4) *The Watchtower* (La Atalaya), febrero 1, 1952, p. 80. Énfasis añadido. Traducción libre.
5) *La Atalaya*, agosto 1, 2001, p. 14. Énfasis añadido.

PUNTO 2: A los Testigos de Jehová se les prohíbe pensar independientemente del mensaje de *La Atalaya*. *La Atalaya* recalca la urgencia de ser guiados por la organización. Sin ella, están perdidos.

> **Evite el modo de pensar independiente.** ¿Cómo se manifiesta ese modo de pensar independiente? Una manera común es poniendo en duda el consejo que suministra la organización visible de Dios.[6]

> **La lucha contra el modo de pensar independiente.** Tal modo de pensar es prueba de orgullo. ... Si llegáramos a creer que sabemos más que la organización, deberíamos preguntarnos: "¿De dónde aprendimos la verdad bíblica en primer lugar? ¿Conoceríamos el camino de la verdad si la organización no nos hubiera guiado? De hecho, ¿pudiéramos arreglárnoslas sin la dirección de la organización de Dios?" ¡No, no podemos![7]

Estas afirmaciones muestran claramente que todo el sistema de creencias del Testigo está basado, no en sus propios pensamientos, sino en lo que la Sociedad Watchtower le ha dicho: cómo leer la Biblia y cómo pensar, dentro de las directrices estrictas de lo que enseña la Sociedad Watchtower. La única "verdad" que vale para ellos es lo que se les dice por medio de las publicaciones de la Sociedad

6) *La Atalaya,* junio 1, 1983, p. 22. Énfasis añadido.
7) *La Atalaya,* junio 1, 1983, p. 27. Énfasis añadido.

Watchtower. Estas son las características de una secta. *En resumen, es control de la mente.* Ahora puede comprender con más claridad cómo piensan los Testigos y por qué sus argumentos basados en la Biblia no son efectivos.

Resumen

- A los Testigos les enseñan a "evitar el pensamiento independiente".

- Ellos deben "*luchar contra* el pensamiento independiente".

- La estrategia total del mensaje de los Testigos de Jehová se basa en dos puntos clave:

1. Su dependencia en la interpretación bíblica de la Sociedad Watchtower. "A menos que estemos asociados con este canal o conducto de comunicación que Dios utiliza, no adelantaremos en el camino hacia la vida, prescindiendo de cuánto leamos la Biblia".[8]

2. Su incapacidad para pensar por sí solos y presentar un "evangelio" dentro de las directrices estrictas de la Sociedad Watchtower. "De hecho, ¿pudiéramos arreglárnoslas sin la dirección de la organización de Dios? ¡No, no podemos!"[9]

Así como el pecador necesita arrepentirse de su pecado antes de aceptar a Jesús como Salvador y Señor, el Testigo de Jehová primero debe rechazar la autoridad y el *mensaje* de la Sociedad Watchtower.

---

8) *La Atalaya,* junio 1, 1982, p. 27. Énfasis añadido.
9) *La Atalaya,* junio 1, 1983, p. 27.

Puesto que le han enseñado a evitar el pensamiento independiente y a luchar contra éste, los intentos que *usted* haga para evangelizarlo seguirán enfrentando el obstáculo de aquello en lo cual ha decidido confiar: la autoridad de Watchtower, no el mensaje pagano que él cree que usted tiene.

El desafío para usted es destruir la confianza que el Testigo tiene en la organización de Watchtower y sus publicaciones. Una vez que pueda ayudarlo a reconocer verdaderamente que Watchtower es un profeta falso, usted podrá librar de las garras de la Sociedad Watchtower a un Testigo de Jehová y guiarlo hacia las manos de nuestro amoroso Salvador.

La estrategia que debe seguir no consiste en confrontar al Testigo con la Biblia, sino confrontar la fuente que alimenta lo que él cree que es el mensaje de Dios.

CAPÍTULO 2

El Propósito y el Valor Eterno de Watchtower

Al igual que los vendedores que van de casa en casa, los Testigos de Jehová son expertos en defender su "producto": el mensaje de la Sociedad Watchtower. Puesto que no conocen las creencias religiosas de la gente a la que esperan convertir cuando realizan la visitación, tienen como requisito conocer todas las religiones principales que pudieran encontrar.

Si el dueño de casa es protestante, católico, bahaí, mormón, budista, humanista secular o hindú, el Testigo está totalmente entrenado para presentar un testimonio efectivo al tratar de ganar a la persona para "el arca de la Sociedad Watchtower".

A fin de ayudarse en su trabajo de predicación, los Testigos ensayan diversas técnicas que les enseñan cómo convencer a seguidores de otras religiones y ganarlos para la Sociedad Watchtower. Además de sus revistas *La Atalaya y Despertad,* es probable que lleven otros libros que los preparan para enfrentar con éxito cualquier argumento que les presenten.

Tres de esos libros pueden ser: *Razonamiento a Partir de las Escrituras, El Conocimiento que Lleva a Vida Eterna,* y *¿Qué Enseña Realmente la Biblia?*

El primero es un libro temático que los Testigos usan para rebatir, literalmente, docenas de objeciones y preguntas sobre teología, política, los días feriados, la reencarnación y la evolución —temas que el dueño de casa pudiera mencionar al argüir contra la religión o incluso contra la Sociedad Watchtower.

El libro sobre *El Conocimiento* y *¿Qué Enseña Realmente la Biblia?* son obras doctrinales que usan al enseñar a posibles convertidos. Estas obras refutan las creencias del dueño de casa, y su objetivo es convencerlo de que la Sociedad Watchtower es realmente la organización de Dios: la verdadera religión. Les han dado buen resultado.

Todo pensamiento bíblico que usted use para refutar la teología de Watchtower será considerado ofensivo, ya que creen que los argumentos son de origen "pagano". Es posible que los Testigos se alejen de su casa o se queden parados allí, insistiendo en explicarle sus creencias. Aquí es donde usted corre el peligro de iniciar una discusión. Si esto ocurre, casi siempre se perderá la eficacia de su testimonio.

Recuerde: los Testigos de Jehová creen que *ellos* tienen la verdad y están allí para enseñarle a *usted,* no viceversa. Están muy bien entrenados para tener total control de la situación.

Usando los tres libros mencionados, los Testigos llegan muy bien preparados con respuestas de la Sociedad Watchtower para las personas que encuentren. *Sin embargo, sin la autoridad de sus publicaciones, los Testigos no tienen poder alguno y están a merced suya.*

El enemigo que usted enfrenta es la autoridad de esas publicaciones, no el Testigo de Jehová como individuo. Para evangelizarlo eficazmente, es crítico que usted comprenda eso. Sólo entonces se dará cuenta de que *la confianza que el Testigo tiene en su propia literatura es su punto vulnerable.*

Resumen

- Los Testigos de Jehová son expertos en defender su "producto": el mensaje de la Sociedad Watchtower.

- Los Testigos ensayan una serie de técnicas a fin de ganar para su religión a personas que siguen otras creencias.

- Tres libros que los Testigos usan son: *Razonamiento a Partir de las Escrituras, El Conocimiento que Lleva a Vida Eterna* y *¿Qué Enseña Realmente la Biblia?*

- Toda enseñanza bíblica que usted use para refutar la teología de Watchtower será considerada como ofensiva.

- Si empiezan a discutir, *siempre* se perderá la eficacia del testimonio cristiano.

- Si usted logra destruir la confianza que los Testigos tienen en sus publicaciones, quedarán desarmados.

Cómo entrena la Sociedad Watchtower a los Testigos de Jehová

—Está todo ahí —respondió mi padre—. Solo tienes que poner el disco, leer las preguntas, dejar que el ama de casa lea las respuestas y luego lees los textos bíblicos.[1]

En los primeros tiempos, los "Estudiantes de la Biblia" (los primeros Testigos de Jehová) iban de casa en casa con un tocadiscos portátil, y tocaban el mensaje de Watchtower en discos de vinilo. Cada disco iba acompañado de una tarjeta, publicada por Watchtower, con preguntas dirigidas al dueño de casa.

En la anterior cita de *La Atalaya,* note que se da la respuesta *antes* de leer el pasaje bíblico. La Sociedad Watchtower ya ha decidido por el lector la interpretación y se la presenta en forma de respuesta, antes de citar el versículo bíblico.

Esto es control de la mente en su etapa inicial... y usted, como posible convertido, ¡ni siquiera sabe que eso está sucediendo!

Hoy en día, esa técnica todavía se usa en las reuniones de Watchtower en el Salón del Reino. Se lee una pregunta de *La Atalaya;* luego el Testigo, leyendo también la

---

1) La Atalaya, marzo 1, 1998, p. 21. Énfasis añadido.

"respuesta" de *La Atalaya,* contesta lo que la Sociedad ya ha provisto.

A los Testigos de Jehová no se les permite contestar las preguntas en base a su comprensión de lo que leen. Con ciega obediencia dan las respuestas que se les provee —palabra por palabra— en *La Atalaya.* Estas son las mismas respuestas que le dan a usted.

¿Por qué es importante *La Atalaya* para los Testigos de Jehová? Recuerde: ellos basan su salvación en la "verdad", tal como entienden las Escrituras a través del lente de las interpretaciones de la Sociedad. *Estas son las mismas publicaciones* que usarán al tratar de convertirlo a usted o a aquellos a quienes usted ama.

Resumen

- En las reuniones actuales de Watchtower aún usan *La Atalaya;* y ésta, no la Biblia, les provee todas las respuestas a los Testigos.

- A los Testigos de Jehová no se les permite dar respuestas aparte de las que les proporciona la Sociedad Watchtower. En su obediencia ciega, las respuestas les son provistas —palabra por palabra— en *La Atalaya.*

- Estas son las mismas respuestas que le darán a usted.

Su principal libro de estudio

En el libro *Razonamiento a Partir de las Escrituras,* la Sociedad Watchtower dio esta definición respecto a los Testigos de Jehová:

La sociedad cristiana de alcance mundial de personas que se mantienen activas en dar testimonio con relación a Jehová Dios y Sus propósitos que afectan a la humanidad. *Fundan sus creencias exclusivamente en la Biblia.*[2]

Sin embargo, para los Testigos de Jehová, la Biblia es un libro misterioso que sólo *La Atalaya* puede revelar. He aquí algunas preguntas que puede hacerle al Testigo para ayudarle a ver esa inconsistencia:

Cristiano: ¿Hay algún problema si se lee la Biblia sin la ayuda de *La Atalaya?*

Si responde "sí", plantéele una pregunta semejante a las siguientes:

Cristiano: ¿Es eso porque uno debe leer *La Atalaya* para interpretar la Biblia o para ser Testigo de Jehová?

Cristiano: ¿Es la Biblia **tan** engañosa sin las interpretaciones de *La Atalaya?*

En 1971, *La Atalaya* admitió que la Biblia debería ser el principal texto de estudio de la humanidad.

> ¿No es obvio por qué *este Libro de libros debe ser el principal libro de texto de la humanidad para estudio?* Los cristianos, más que cualesquier otras personas, se interesan profundamente en investigar este Libro que tiene la

---

2) *Razonamiento a Partir de las Escrituras,* 1989, Watchtower Library 2006, p. 380. Énfasis añadido.

autoría de Aquel a quien el Hijo de Dios dijo: "Tu palabra es la verdad".[3]

Aunque *La Atalaya* declaró que la Biblia debe ser el principal libro de texto de la humanidad para estudio, la Sociedad Watchtower también dijo:

> En 1982, el libro *Usted puede vivir para siempre en el paraíso en la Tierra* se convirtió en la principal publicación para dirigir estudios bíblicos.[4]

La edición de octubre de 1982 [edición de diciembre de 1982 en español] *de Nuestro Ministerio del Reino* dijo:

> ... durante los casi 20 años en que "Sea Dios Veraz" fue nuestro *principal libro para conducir estudios...*[5]

Estas declaraciones muestran claramente que *la Biblia no es el libro de estudio principal* de los Testigos. Las publicaciones de Watchtower son la fuente primordial que usan para interpretar la Biblia.

Recuerde las palabras de *La Atalaya* misma:

> —Está todo ahí —respondió mi padre—. Solo tienes que poner el disco, leer las preguntas, dejar que el ama de casa lea las respuestas y luego lees los textos bíblicos.[6]

---

3) *La Atalaya,* abril 15, 1972, p. 248. Énfasis añadido.
4) *La Atalaya,* enero 15, 1997, p. 25. Énfasis añadido.
5) *La Atalaya, Nuestro Ministerio del Reino,* diciembre de 1982, p. 1. Énfasis añadido.
6) *La Atalaya,* marzo 1, 1998, p. 21.

Finalmente puede preguntarle:

Cristiano: "¿De dónde obtendría sus creencias si no tuviera *La Atalaya?*"

¡No tendría creencias! Esta pregunta es importante porque le llevará a la siguiente sección de preguntas.

Prueba rápida

1. Los Testigos de Jehová creen que la Biblia es su libro de estudio principal. ¿Verdadero o falso?[7]

2. La Sociedad Watchtower usa otras "ayudas primordiales de estudio" para interpretar la Biblia. ¿Verdadero o falso?[8]

3. Si no fuera por las ayudas para conducir estudios, los Testigos no tendrían ninguna interpretación o mensaje. ¿Verdadero o falso?[9]

Al plantear las preguntas recién enumeradas, su objetivo debe ser orientar al Testigo para que no dependa de la Sociedad Watchtower como su fuente de autoridad.

En este momento puede preguntarle cuál tiene más propósito y valor para él: ¿la Biblia o *La Atalaya?* Esta pregunta es muy importante porque puede abrirle el camino a una evangelización efectiva.

---

7) Respuesta: Falso.
8) Respuesta: Verdadero.
9) Respuesta: Verdadero.

Desafío y debilitamiento
del mensaje de la Sociedad Watchtower

Sin la Sociedad Watchtower, los Testigos de Jehová no tendrían mensaje. Esta sección desafiará la autoridad de la Sociedad Watchtower y debilitará su propósito y su valor eterno.

He incluido una serie de preguntas que no suenan amenazantes pero motivan a pensar, y usted puede planteárselas a los Testigos de Jehová. Las respuestas no están en la literatura que ellos leen; por tanto, no sabrán a qué recurrir y los hallará desprevenidos. Así *se verán forzados a pensar por sí mismos.*

Estas preguntas son críticas porque evitan el "punto de conflicto" que provoca discusiones: la Biblia. Recuerde: es inútil argumentar sobre pasajes bíblicos porque ellos *dependen de la interpretación de la Sociedad Watchtower* acerca de la Escritura. Las preguntas le ayudarán a evitar discusiones acaloradas, sembrarán semillas de duda y debilitarán la autoridad de la Sociedad Watchtower.

¿Basan sus creencias sólo en la Biblia?

En la reunión que tuve con un Testigo de Jehová, éste desde el principio tomó el control, llevándome de un pasaje bíblico a otro para probar que el nombre de Dios es Jehová.

Cristiano: ¿Por qué es tan importante conocer el nombre de Dios?

T. de J.: (No hay respuesta).

El Testigo sólo me guiaba de un versículo a otro para tratar de justificar sus creencias. Yo, por mi parte, me mantuve lejos de la Biblia y me enfoqué en la *fuente* de sus creencias.

Cristiano: ¿Cómo llegó a conocer estas verdades?

T. de J.: Leyendo la Biblia.

Cristiano: ¿No usa ayudas para su estudio, como *La Atalaya?*

T. de J.: Sí.

Cristiano: Estoy convencido de que lo que me dice **no** está basado en la Biblia, sino en lo que ha leído en *La Atalaya,* la interpretación de la Biblia que otra persona ha hecho. Permítame preguntarle: Si no fuera por *La Atalaya,* ¿cuál mensaje me daría hoy?

T. de J.: (No hay respuesta).

La realidad es esta: *¡Sin la Sociedad Watchtower no existiría mensaje!* Esto abre la puerta para implementar un plan. Usted tiene que destruir la línea de comunicación de la Sociedad Watchtower haciendo preguntas efectivas que hagan pensar. Su objetivo es destruir la confianza que el Testigo tiene en la autoridad de Watchtower, *no discutir de teología.*

Prueba rápida

1. ¿Cuál es el mensaje del Testigo de Jehová sin la Sociedad Watchtower?[10]

---

10) No existe mensaje sin *La Atalaya.*

2. ¿Cuál es el "punto de conflicto" que provoca discusiones entre los Testigos de Jehová y los cristianos? ¿Por qué?[11]

3. ¿Por qué debe hacerles preguntas a los Testigos de Jehová acerca de la autoridad de Watchtower?[12]

Su estrategia para evangelizar a los Testigos de Jehová es simple: evite la teología y las discusiones, y enfóquese en destruir la línea de comunicación que emplean: la Sociedad Watchtower.

Cómo guiar al Testigo a cuestionar si la Sociedad Watchtower es necesaria

Antes cité la definición de Watchtower respecto a los "Testigos de Jehová". La última oración dice: "Basan sus creencias solamente en la Biblia". Esto no es cierto.

El diccionario define así la palabra *solamente:* "de un solo modo... sin otra cosa". Si los Testigos de Jehová "basan sus creencias solamente en la Biblia", entonces debe preguntarles por qué necesitan ayudas de estudio como *La Atalaya*.

¡Lo que afirman es mentira! Los Testigos basan sus creencias en la "interpretación bíblica" que da *La Atalaya*. Sin ella, no tienen ninguna interpretación ni mensaje.

¿Quiere probar que esto es cierto? Por medio de las siguientes preguntas, muéstreles a los Testigos que han elevado a la Sociedad Watchtower por encima de la Palabra de Dios:

---

11) La Biblia, porque provoca discusiones.
12) Para destruir ante sus ojos la autoridad de *La Atalaya*.

Cristiano: ¿Cómo sería su vida sin la Sociedad Watchtower? ¿Por qué?

Cristiano: ¿Cómo sería la vida sin Jesús?

Cristiano: ¿Cuál pérdida sería peor? ¿Por qué?

Cristiano: Según Juan 14:6, Jesús afirmó que Él es "el camino, la verdad y la vida". ¿Qué calificaciones tiene la Sociedad Watchtower que puedan igualar la declaración de Jesús?

Cristiano: En cuanto a sus convicciones espirituales y el propósito de su vida, ¿provienen éstos de Jesús o de la Sociedad Watchtower? ¿Por qué?

Cristiano: Si la afirmación de Jesús en Juan 14:6 es verdadera, ¿entonces por qué necesita usted a la Sociedad Watchtower?

Cristiano: Si la Sociedad Watchtower es realmente el vocero de Dios, ¿cuál es el mayor regalo para la humanidad: Jesús o la Sociedad Watchtower? ¿Por qué?

ADVERTENCIA:
¡No bombardee al Testigo con estas preguntas!

Permítale *pensar* en lo que le ha dicho para que sus preguntas "penetren". Pero, por favor, no permita que el Testigo cambie de tema. Es hábil para eso. Si pasa a otro tema, usted estará en la cancha de él y habrá perdido por completo el control de la conversación, quedando a merced del Testigo.

Si en su espíritu no se siente satisfecho con las respuestas que él le dé, puede hacerle **una** o **más** de estas preguntas:

Cristiano: Si usted no tuviera *La Atalaya,* ¿podría responder a mis preguntas?

Cristiano: ¿Sus respuestas están basadas en la Biblia solamente, o en lo que ha leído en *La Atalaya?*

Cristiano: ¿Cómo llegó a adoptar lo que cree que es la verdad: por sí solo o por *La Atalaya?*

Haga uso de su propia personalidad y estilo al plantear estas preguntas. El objetivo es hacer que el Testigo cuestione el propósito y el valor eterno de *La Atalaya,* y que reconozca que depende de ésta más que de las palabras escritas de Dios.

Sus preguntas establecen la base para otras preguntas aún más críticas.

¿Es La Atalaya inspirada por Dios?

... La Atalaya también ha dicho que el que algunos tengan el espíritu de Jehová '**no** quiere decir que los que ahora sirven de testigos de Jehová sean **inspirados, ni** que los escritos de esta revista, *La Atalaya,* sean **inspirados** e **infalibles** y **sin errores**'.[13]

... Los hermanos que preparan estas publicaciones **no son infalibles.** Los escritos de ellos

---

13) *¡Despertad!,* marzo 22, 1993, p. 4. Énfasis añadido.

no son inspirados como lo son los de Pablo y otros escritores bíblicos.[14]

... Sin embargo, *La Atalaya* **no** pretende ser **inspirada** en sus declaraciones, ni es dogmática.[15] (Véase Figura 1).

Estas afirmaciones muestran claramente lo siguiente: *La Atalaya no es inspirada y tampoco lo son sus escritores. Este es un asunto crítico.*

Al ir de casa en casa, los Testigos nunca mencionarán el tema de la "inspiración", ni esperarán que usted lo haga. Esto le da a usted una ventaja.

El asunto de la inspiración no se discute en la literatura de los Testigos (que les provee las respuestas ya preparadas).

Sin embargo, usted *debe* mencionar el tema y él estará desprevenido. El Testigo de Jehová quedará perplejo.

Recuérdele entonces que la Palabra de Dios **es inspirada.** (Lea 2 Timoteo 3:16).

Este tema plantea tres preguntas que debe hacerle:

1. Puesto que la Biblia **es** la inspirada Palabra de Dios, ¿cuál es el propósito y valor eterno de ésta para los Testigos?

2. Si *La Atalaya* **no** es inspirada como la Biblia, ¿cuál es su propósito y valor eterno?

---

14) *¡Despertad!,* marzo 22, 1993, p. 4. Énfasis añadido.
15) *The Watchtower* (La Atalaya), agosto 15, 1950, p. 263. Traducción libre.

AUGUST 15, 1950 — *The* WATCHTOWER — 263

…enough to peer into the future, by use of recorded inspired prophecy. It views modern conditions and events in the light of God's W…

…with confident ring in its voice, because its words find their foundation in …s Word. It is not a blind or dumb …man, but tries to keep in tune with … by searching his Word and being re…ve to his guidance, with eyes always … to prophecy so that it knows what to … for in world events, so that it under…s the significance of what it sees. It … not privately interpret prophecy, but … attention to physical facts, sets them …side prophecy, and you see for yourself how well the two match, how accurately Jehovah interprets his own prophecy. …et. 1: 20, 21.

Hence the purpose of this magazine is to keep sharp and faithful focus on Bible truth, on world happenings that may fulfill …

… must obey the command to wake up and watch. Let *The Watchtower* help you heed such admonition that leads to life, for that is its purpose.

Faithfully living up to its name and purpose, *The Watchtower* does stand alone in its field, and its value is unmeasurable in money. It declares God's wisdom, which is "better than rubies; and all the things that may be desired are not to be compared to it". Such wisdom "is a tree of life". *The Watchtower* beckons you to lay hold upon that wisdom, and gain life in a new world without end.—Prov. 3: 13-18; 8: 10, 11; Eph. 3: 21.

> Por tanto, el propósito de esta revista es mantener un enfoque claro y fiel en la verdad de la Biblia, en eventos mundiales que pudieran cumplir profecías y en noticias religiosas en general. A veces destruirá ideas religiosas falsas, para fortalecer la verdad bíblica en su lugar. Esta obra doble es ordenada por la Escritura y es beneficiosa para todas las personas de corazón recto (Jer. 1:10; Heb. 12:5-13). Sin embargo, *The Watchtower* [*La Atalaya*] no afirma ser inspirada en sus declaraciones ni es dogmática. Invita a que se haga un examen cuidadoso y crítico de su contenido a la luz de las Escrituras. Su objetivo es ayudar a otros a conocer a Jehová y sus propósitos para la humanidad, y anunciar el reino establecido de Cristo como nuestra única esperanza.

Figura 1 - *The Watchtower* (La Atalaya), agosto 15, 1950, p. 263. Traducción libre.

3. Si *La Atalaya* **no** es inspirada por Jehová,
¿a qué recurrirá el Testigo como su autoridad?

La Atalaya no representa la voz o autoridad de Dios porque no es inspirada por Él. No tiene valor ni propósito eterno. No puede salvarle del infierno, ni perdonarle sus pecados o prepararlo para ir al cielo.

NOTA

A fin de estar mejor preparado, es recomendable que copie estas preguntas y las estudie. Tiene la libertad para escribirlas en sus propias palabras. De esta manera no sonarán como si las hubiera ensayado. Después de todo, si son sus propias preguntas, se sentirá más preparado y mucho más seguro al evangelizar.

Profecías falsas de Watchtower

Las profecías falsas de *La Atalaya* proveen aún más evidencia de que no es inspirada por Jehová Dios.

> Los testigos de Jehová, llevados por su expectación anhelante de la segunda venida de Jesús, propusieron fechas que resultaron erróneas.

> Sin embargo, **en ninguno de esos casos se tomaron la libertad de hacer predicciones 'en el nombre de Jehová'. Nunca dijeron:** 'Estas son las palabras de Jehová.[16] (Véase Figura 2).

---

16) Revista *¡Despertad!,* marzo 22, 1993, p. 4. Énfasis añadido.

Las predicciones, las cuales la Sociedad admite haber hecho, no fueron autorizadas por Jehová Dios. Es decir, **no fueron inspiradas.** La Sociedad Watchtower no sólo se equivocó sino que, en primer lugar, no recibió inspiración alguna.

Resumen

- Aprenda estas dos citas:

> Los hermanos que preparan estas publicaciones no son infalibles. **Los escritos de ellos no son inspirados** como lo son los de Pablo y otros escritores bíblicos.[17]

> No quiere decir que... los escritos de esta revista, *La Atalaya,* sean inspirados e infalibles y sin errores.[18]

- Watchtower define inspiración como "Condición o estado en el que la persona siente en su interior un estímulo que le mueve procedente de una fuente sobrehumana".[19]

- ¿Es inspirada la Biblia? **Sí.** (Lea 2 Timoteo 3:16).

- ¿Es inspirada La Atalaya? **No.**[20]

- Si *La Atalay*a no es inspirada, entonces los "hermanos" que preparan las publicaciones no

---

17) *¡Despertad!,* marzo 22, 1993, p. 4. Énfasis añadido.
18) *¡Despertad!,* marzo 22, 1993, p. 4. Énfasis añadido.
19) Insight on the Scriptures, vol. 1, 1991, p. 1234.
20) Véase *¡Despertad!,* marzo 22, 1993, p. 4; *The Watchtower* (La Atalaya), agosto 15, 1950, p. 263.

De modo que en tales casos no debería tachár-
seles de falsos profetas como los que se denuncian
en Deuteronomio 18:20-22 cuando sus palabras no
se cumplen. Son per[...]
cosas debido a su fa[...]

Sin desanima[...]
a algunas person[...] le[...]
del año 2000 y [...]han [...]
el fin del mundo. El p[...]
Street Journal del 5 d[...]
artículo titulado "La [...]
los profetas, se acerc[...]
año 2000, diversos ev[...]
Jesús viene y que la [...]
tiempo de desgracias [...]
del que ha habido not[...]
artículo tuvo lugar en [...]
la 'Misión para los Di[...]
medianoche del 28 de [...]
y se llevaría a los cr[...]
que anuncian el fin [...]
semejantes.

Los testigos de J[...]
tación anhelante de la [...]
pusieron fechas que r[...]
secuencia, algunos le[...]
Sin embargo, en nin[...]
la libertad de hacer p[...]
Jehová'. Nunca dijer[...]
Jehová'. La Atalaya —[...]
de Jehová— ha dicho[...]
de profetizar" (enero de [...]
inglés). "Tampoco pr[...]
nuestros escritos o qu[...]
de diciembre de 1896, página 306, edición en inglés).
La Atalaya también ha dicho que el que algunos tengan el espíritu de Jehová 'no quiere decir que los que
ahora sirven de testigos de Jehová sean inspirados, ni
que los escritos de esta revista, La Atalaya, sean inspirados e infalibles y sin errores' (1 de octubre de 1947,
página 301). "La Atalaya no pretende ser inspirada

en sus declaraciones, ni es dogmática" (1 de enero de
1951, página 24). "Los hermanos que preparan estas
publicaciones no son infalibles. Los escritos de ellos[...]

> Los testigos de Jehová, llevados por su expectación anhe-
> lante de la segunda venida de Jesús, propusieron fechas que
> resultaron erróneas. Como consecuencia, algunos les han lla-
> mado falsos profetas. Sin embargo, en ninguno de esos casos
> se tomaron la libertad de hacer predicciones 'en el nombre de
> Jehová'. Nunca dijeron: 'Estas son las palabras de Jehová'.
> *La Atalaya* —la revista oficial de los testigos de Jehová— ha
> dicho: "Nosotros *no* tenemos el don de profetizar" (enero de
> 1883, página 425, edición en inglés). "Tampoco pretendemos
> que se reverencien nuestros escritos o que se les considere
> infalibles" (15 de diciembre de 1896, página 306, edición en
> inglés). *La Atalaya* también ha dicho que el que algunos tengan
> el espíritu de Jehová 'no quiere decir que los que ahora sirven
> de testigos de Jehová sean inspirados, ni que los escritos de esta
> revista, *La Atalaya,* sean inspirados e infalibles y sin errores' (1
> de octubre de 1947, página 301). "*La Atalaya* no pretende ser
> inspirada en sus declaraciones, ni es dogmática" (1 de enero de
> 1951, página 24). "Los hermanos que preparan estas publica-
> ciones no son infalibles. Los escritos de ellos no son inspirados
> como lo son los de Pablo y otros escritores bíblicos. (2 Tim.
> 3:16.) Y por eso, a veces, ha sido necesario, a medida que el
> entendimiento se ha hecho más claro, corregir algunos puntos
> de vista. (Pro. 4:18.)" (1 de julio de 1981, página 19.)

Debido a nuestro anhelo, cabe la posibilidad de dar
falsas alarmas.

¿Cómo se puede distinguir, entonces, entre la
verdadera advertencia y las falsas alarmas? Para hallar
la respuesta a esta pregunta, tenga la bondad de leer
el siguiente artículo.

¡Despertad!

Por qué se publica ¡Despertad! *¡Despertad!* es informativa para toda la familia. Muestra cómo hacer frente a los problemas de nuestro tiempo,
presenta noticias de actualidad, habla acerca de las gentes de otros lugares, analiza temas de religión y ciencia. Pero va más allá. Sondea el trasfondo de
los acontecimientos actuales e indica cuál es su verdadero significado, aunque siempre mantiene una postura neutral en lo que respecta a la política y no
favorece a unas razas sobre otras. Más importante aún: esta revista fomenta confianza en la promesa del Creador de establecer un nuevo mundo pacífico
y seguro que pronto reemplazará al sistema de cosas actual caracterizado por la maldad y la rebelión.

*¿Quisiera más información? Escriba a Watch Tower a la dirección de la página 5 que corresponda. La publicación
de ¡Despertad! es parte de una obra mundial de educación bíblica sostenida por contribuciones voluntarias.*

A menos que se indique lo contrario, se cita de la Traducción del Nuevo Mundo de las Santas Escrituras (con referencias).

Figura 2 - Revista *¡Despertad!*, marzo 22, 1993, p. 4.

"sienten en su interior un estímulo que les mueve procedente de una fuente sobrehumana" (Jehová).

- Como ellos mismos han admitido, "los testigos de Jehová, llevados por su expectación anhelante de la segunda venida de Jesús, propusieron fechas que resultaron erróneas".

- *La Atalaya* dice: "Nunca dijeron: 'Estas son las palabras de Jehová'".

- Puesto que la Sociedad Watchtower no afirmó que sus predicciones eran las palabras de Jehová, lo que predijeron tampoco fue inspirado por Jehová.

- Entonces, ¿cuál es el propósito y el valor eterno de una publicación no inspirada, como *La Atalaya,* si los eventos predichos no se cumplieron?

Segunda Parte

Desarrollo de una Estrategia
Evangelística Efectiva

CAPÍTULO 3

Elementos Clave para una Evangelización Efectiva

Posiblemente usted tenga un ser querido, una amistad cercana o un compañero de trabajo que está considerando hacerse Testigo de Jehová, o tal vez sirva ya en la organización; y usted quiere respuestas rápidas y fáciles sobre la manera de presentar un testimonio efectivo a estas amadas personas.

Hay tres elementos clave para presentar un testimonio ungido y eficaz a los Testigos de Jehová.

• **Ore:** Pida la sabiduría del Señor cuando testifique. Ore por la persona a la que desea evangelizar.

• **Practique:** Escriba las preguntas sugeridas en este libro y familiarícese con ellas practicándolas (como si estuviera hablando con la persona) y use las estrategias que describimos aquí.

• **Ofrezca:** Presente su testimonio al Testigo de Jehová en forma amable y con el amor de Dios. *No lo condene.*

Implemente su estrategia evangelística

El siguiente diálogo le proporcionará ideas de cómo usar el tema de "la inspiración de *La Atalaya*" en su estrategia evangelística.

Este diálogo está basado en numerosas conversaciones que he tenido con Testigos a través de los años. Le aconsejo que lo lea varias veces. Notará lo vitalmente importante que es evitar el uso de la Biblia hasta que el Testigo esté listo para rechazar la autoridad de *La Atalaya*.

T. de J.: Buenos días. Yo soy Ricardo y ella es mi esposa, Sara. Quisiéramos dejarle una guía para estudiar la Biblia. ¿Le gustaría tener una copia? Podríamos regresar la próxima semana, o cuando usted diga, para dialogar sobre lo que hayan leído.

Cristiano: Gracias. Sí, me gustaría tener una copia. ¿Puedo preguntarles algo? ¿Cuál es el propósito de tener una guía para estudiar la Biblia?

T. de J.: Es una buena pregunta. El propósito de esta revista es comunicar verdades bíblicas importantes. Me parece que usted lee la Biblia.

Cristiano: Sí, así es. La leo para recibir fortaleza y aliento —usted me comprende— para aplicar la sabiduría de Dios a mi vida. Pero, volviendo a mi pregunta: ¿por qué usan esta revista como guía para estudiar la Biblia?

T. de J.: Ofrecemos esta guía de estudio porque creemos que *La Atalaya* revela verdades bíblicas que están ocultas para la humanidad.

Cristiano: Si eso es cierto, entonces *La Atalaya* debe ser una publicación inspirada, tal como lo es la Biblia. ¿Es inspirada?

T. de J.: Bueno, *La Atalaya* es el instrumento que, según creemos, Dios usa para revelarnos Sus verdades.

Cristiano: Eso está bien, pero, ¿es inspirada *La Atalaya?*

T. de J.: No comprendo su pregunta.

Cristiano: La Biblia dice que toda Escritura es inspirada por Dios. ¿Creen eso ustedes?

T. de J.: Sí.

Cristiano: Si la Biblia es inspirada, ¿cómo llegó a serlo? En otras palabras, ¿qué significa "inspiración"?

T. de J.: No veo a qué lleva esta conversación.

Cristiano: Ustedes están aquí, en mi vecindario, porque creen que tienen un mensaje importante para mí, ¿cierto? Si quieren que me una a su religión, ¿no tengo la libertad para examinar lo que me están ofreciendo? ¿No deberían tener todos la libertad para investigar aquello en lo que tal vez pondrán su corazón, si así lo deciden?

T. de J.: Bueno, sí. Pero...

Cristiano: ¿Acaso ustedes no hicieron preguntas acerca de esta religión antes de afiliarse a ella?

T. de J.: Sí.

Cristiano: Bien, esta es la pregunta que les hago: ¿es *La Atalaya* inspirada tal como lo son las Escrituras?

T. de J.: Pues...

T. de J. #2: Permítame responderle. ¿Por qué necesita saberlo? ¿Por qué insiste en hacer esa pregunta?

Cristiano: Al igual que ustedes, yo también soy estudiante de la Biblia; y no acepto nada a ciegas, sobre todo cuando se trata de mi futuro eterno. Así que, por favor, respóndanme: ¿es inspirada *La Atalaya?* Eso es importante para mí.

T. de J.: No, no es inspirada. ¿Es esa la respuesta que deseaba oír?

Cristiano: No es lo que yo "deseaba oír". Sólo quiero una respuesta directa y honesta. Para mí es importante conocer la verdad, así como para ustedes es importante conocer su verdad.

T. de J.: Bueno, ya todos sabemos que *La Atalaya* no es inspirada, ¿y ahora qué?

Cristiano: ¿Insinúa que lo que pregunté no es importante, o es usted sincero al hacer esa pregunta?

T. de J.: (No hay respuesta.)

Cristiano: Yo leo mi Biblia cada día, sabiendo y creyendo que es la inspirada Palabra de Dios para mí; y ustedes me están pidiendo que lea una ayuda de estudio que no es inspirada. ¿Cómo puede una publicación no inspirada revelar la verdad, cuando la verdad ya ha sido inspirada en la Biblia?

T. de J.: ¿Qué quiere decir con eso?

Cristiano: La inspiración tiene que ver con recibir mensajes y dirección de Dios mismo, ¿cierto? Y si la Biblia es inspirada, y *La Atalaya* no lo es, ¿cuál tiene un mayor propósito y valor eterno?

T. de J. #2: ¿Cuál tiene mayor valor?

Cristiano: Permítame decirlo de otra manera: Aquí tengo *La Atalaya* que ustedes me dieron. ¿Podría prestarme su Biblia un momento? Gracias. Ahora estoy sosteniendo la Biblia. Puesto que la Biblia es inspirada, y *La Atalaya* no lo es, ¿a cuál debo darle más valor: a la Biblia inspirada o a esta Atalaya, la que ustedes acaban de decirme que **no** es inspirada?

T. de J.: Bueno, no es de eso que vinimos a hablar hoy.

Cristiano: Entonces, ¿de qué querían hablar?

T. de J. #2: Eh... sólo estábamos repartiendo *Atalayas*.

Cristiano: ¿Entonces estaban repartiendo *Atalayas* que contienen un mensaje no inspirado? ¿Entienden por qué me preocupa?

T. de J. #2: Como estaba diciendo, estábamos aquí en el vecindario distribuyendo *Atalayas*... y proclamando el reino de Dios y la esperanza divina a los que quieran escucharnos.

Cristiano: ¿Está diciendo, entonces, que esa proclamación proviene de... las *Atalayas* que están distribuyendo? ¿Debo entender que su mensaje es de una *Atalaya* no inspirada, y no de la Biblia inspirada?

T. de J.: Está equivocado. Nosotros sí enseñamos de la Biblia.

Cristiano: Entonces aquí les devuelvo su *Atalaya* junto con su mensaje no inspirado. Yo me quedaré con mi Bi-blia. ¿Cómo pueden saber si una revista no inspirada está revelando la verdad? Si dicen que enseñan de la Biblia, distribuyan Biblias, no *La Atalaya*. Pero, si *La Atalaya* es realmente palabra de Dios a la humanidad, ¿pueden darme otra vez *La Atalaya* con la conciencia tranquila, sabiendo que es una ayuda de estudio que no es inspirada?

Cristiano: Veo en sus manos una Biblia y una *Atalaya*. Si se les perdiera una de ellas, ¿cuál sería la mayor pérdida?

T. de J.: (No hay respuesta.)

Cristiano: Tengo tres preguntas en las que quisiera que mediten: ¿Cómo serían sus vidas sin *La Atalaya*? ¿Cómo serían sus vidas sin Jesús? ¿Cuál pérdida sería mayor?

T. de J.: Usted plantea puntos que son válidos, pero debemos permanecer fieles a lo que creemos que es la verdad.

Cristiano: ¿Cuál verdad? ¿La verdad de la Biblia, o de una *Atalaya* no inspirada? Si debo creer en un mensaje inspirado en vez de otro no inspirado, ¿cuál sería la elección más sabia? Por favor, ayúdenme en esto. Ustedes dijeron que van de casa en casa entregando *Atalayas* y su mensaje. ¿Cuál es el mensaje de *La Atalaya*?

T. de J. #2: ¿Puedo responder? ¿Sabe? Respeto sus opiniones y he escuchado todo lo que ha dicho, pero nuestro mensaje es... bueno, nuestro mensaje es...

Cristiano: ... es un mensaje **no** inspirado, como ustedes mismos han dicho. Espero que algún día su mensaje sea de este Libro inspirado llamado la Biblia. Espero que llegue el momento cuando sean honestos con ustedes mismos y reconsideren la decisión de entregar un mensaje que **nunca** se originó en Dios, y que usen más bien Su Palabra inspirada.

Note que, al evangelizarlos, no cité pasajes bíblicos para apoyar mis argumentos. Usé simple lógica, comparando el propósito y valor eterno de la Biblia con *La Atalaya* no inspirada. Mi objetivo era lograr que los Testigos **pensaran**: ¿cuál tiene mayor propósito y valor eterno: la Biblia o *La Atalaya*?

¿Ha comprendido el propósito de usar esta estrategia evangelística en lugar de argumentar acerca de versículos bíblicos? Su objetivo debe ser debilitar la fuente de las creencias de los Testigos de Jehová: la Sociedad Watchtower. Una vez que falle la línea de provisión, fallará también la confianza que han puesto en la Sociedad Watchtower.

Los Testigos están muy bien preparados para la confrontación bíblica. Eso es lo que esperan siempre, *pero nunca esperarán que alguien les hable de la fuente que los alimenta*. No tienen defensa alguna contra la evidencia de que *La Atalaya* no es inspirada.

Estos tres primeros capítulos plantean preguntas importantes; pero la Sociedad Watchtower tiene mucho que explicar respecto a otros temas que ha enseñado en base a su trabajo no inspirado. Los siguientes capítulos mostrarán problemas mayores con *La Atalaya* carente de inspiración. Usted puede mencionar también esos problemas en su estrategia al evangelizar.

No importa qué diga la Sociedad Watchtower, ahora o en el futuro, su mensaje siempre será *no inspirado.*

Si algún día la Sociedad Watchtower cambiara su posición y declarara que es inspirada, entonces todo lo escrito en *La Atalaya,* desde su primera revista (julio de 1879) hasta el día de hoy, ya no sería teología válida porque todo era no inspirado.

Eso significa que los Testigos de Jehová se verían forzados a reestructurar todo lo que se les enseñó bajo *La Atalaya* no inspirada, e iniciar un nuevo sistema de creencias, empezando con nuevos mensajes "inspirados".

Un cambio tal no sólo afectaría todo su fundamento teológico, sino también el nombre *Testigos de Jehová* que los ha separado del cristianismo.

¿Por qué? El nombre Testigos de Jehová les fue dado en 1931, durante el tiempo cuando se creía que *La Atalaya* nunca fue inspirada. Si la Sociedad Watchtower algún día declarara ser inspirada, ¿cuál sería su nuevo nombre?

La realidad es que la Sociedad Watchtower jamás puede afirmar que es inspirada. Cualquier teología nueva e "inspirada" tendría un efecto negativo en millones de Testigos de Jehová a nivel mundial, y la organización Watchtower correría el riesgo de un colapso total.

CAPÍTULO 4

¿Murió Jesús en una Cruz?

Las primeras publicaciones de *La Atalaya* enseñaban que Jesús murió en una cruz (véase Figura 3). Sin embargo, eso cambió durante el liderazgo de Joseph Franklin Rutherford, segundo presidente de la Sociedad de Biblia y Tratados Watchtower.

Después de un tiempo, las ilustraciones de *La Atalaya* mostraban a Jesús clavado a un *madero de tortura* (véase Figura 4). Hoy en día todos los Testigos de Jehová aceptan esto, y es una de las declaraciones más comunes que hace el Testigo de Jehová:

> Sabemos que Jesús fue clavado al madero de tortura.[1]

---

1) *The Watchtower* (La Atalaya), enero 15, 1966, p. 63. Traducción libre.

Figura 3 — De *Life* (Vida), por J. F. Rutherford (Brooklyn, NY: International Bible Students Association, Sociedad de Biblia y Tratados Watchtower), 1929, p. 198.

De acuerdo a La Atalaya, el madero de tortura era sólo un poste, sin travesaño, y con Jesús usaron un solo clavo que atravesó ambas manos, colocadas sobre Su cabeza. Esto tal vez parezca un detalle trivial, pero veremos que realmente es importante.

Aunque la interpretación del artista muestra a Jesús en el madero de tortura, con ambas manos traspasadas por un solo clavo, en la misma página de ese artículo La Atalaya declara:

> En una ocasión, él invitó a Tomás a examinar las heridas infligidas en sus manos por medio de los clavos (Juan 20:19-29).[2]

La Atalaya hizo dos afirmaciones contradictorias. Primero dijo que fue clavado a un madero de tortura, que hubiera requerido sólo un clavo. Pero el mismo artículo mencionó "heridas infligidas en sus manos por medio de los clavos (Juan 20:19-29)". ¿Fue un clavo o fueron dos?

Indecisión en la Sociedad Watchtower

En 1966 la Sociedad Watchtower estaba segura de que a Jesús lo habían sujetado con **un clavo** a un *poste de tortura;* sin embargo, en 1987 *no estaban tan seguros* al respecto:

> No podemos saber precisamente dónde lo atravesaron los **clavos**, aunque obviamente fue en el área de sus manos. El relato bíblico

---

2) *The Watchtower* (La Atalaya), enero 15, 1966, p. 63. Énfasis añadido. Traducción libre.

Ilustraciones de Cristo en un "madero de tortura" publicadas en materiales de los Testigos de Jehová.

Figura 4a — De *El Conocimiento que Lleva a Vida Eterna,* 1995, p. 67.

Figura 4b — De *Usted Puede Vivir Para Siempre en el Paraíso en la Tierra,* 1982, p. 170.

Figura 4c — De *Mi Libro de Historias Bíblicas,* 1978, p. 100.

sencillamente no suministra detalles explícitos, ni tiene que hacerlo.

Por eso, reconocemos que las ilustraciones que representan la muerte de Jesús en nuestras publicaciones, como la que se ve en la página 24, *son simplemente versiones artísticas razo-nables* de la escena, no declaraciones de absolutos anatómicos.[3]

¿Clavos? ¡Creí que Él había muerto en un poste de tortura! Y, nótese que la Sociedad Watchtower afirmó que las "descripciones de la muerte de Jesús" en sus publicaciones "son *meramente interpretaciones artísticas* razonables de la escena".

Aunque en 1966 *La Atalaya* estaba segura de que Jesús había muerto en un madero de tortura, en los artículos siguieron usando la palabra en plural, "clavos". ¿Tiene sentido eso?

La Atalaya también declaró:

> Cualquier dibujo de Jesús en el madero debe entenderse como una elaboración de los artistas que ofrecen meramente *una representación basada en los datos limitados que tenemos*.[4]

Aunque las publicaciones actuales de *La Atalaya* muestran a Jesús en el poste de tortura, al lector **ahora** se le dice

---

3) *La Atalaya,* agosto 15, 1987, p. 29. Énfasis añadido.
4) *The Watchtower* (La Atalaya), abril 1, 1984, p. 31. Énfasis añadido. Traducción libre.

que esos dibujos son meramente una *representación* basada en datos limitados.

¿Le parece que eso suena como una verdad absoluta? Cuando hablan de cómo murió Jesús, ¿se puede confiar totalmente en el mensaje de la Sociedad Watchtower como verdad absoluta?

Aun después que la Sociedad Watchtower hizo tales declaraciones, las publicaciones de *La Atalaya* todavía insisten hoy en representar a Jesús en un *madero de tortura,* con **un solo** clavo. Puesto que admiten que no son inspiradas, ¿por qué el Testigo de Jehová tiene que creer que Jesús murió en esa manera?

Esto es importante. La posición de *La Atalaya es incongruente consigo misma. Pero, más importante aún, ¡no concuerda con la Biblia!* ¿Son definitivas y persuasivas la posición y evidencia de *La Atalaya?* ¿O la Sociedad Watchtower simplemente declara otra *opinión* acerca de cómo murió Jesús?

Preguntas

1. ¿*El madero de tortura* requería un clavo o dos?

   Respuesta: Un clavo traspasó ambas manos.

2. ¿Puede La Atalaya reconciliar su afirmación de que Jesús murió en un *madero de tortura,* y el uso de la palabra plural "clavos"?

   Respuesta: No, no puede.

3. ¿Usa la Biblia el término "clavo" o "clavos"?

Respuesta: La Biblia dice "clavos". Lea Juan 20:25.

4. Puesto que la Biblia es inspirada, ¿es seguro aceptar la Biblia *sola* como verdad absoluta?

Respuesta: Sí.

5. Si *La Atalaya* no es inspirada, ¿cuál pasaje bíblico fundamenta su enseñanza sobre el *madero de tortura?*

Respuesta: No hay fundamento bíblico.

6. ¿Está segura la Sociedad Watchtower de que Jesús murió en un *madero de tortura?*

Respuesta: No. Es tan solo su opinión.

¿Qué dice la Biblia respecto a cómo murió Jesús?

En la interpretación del artista que muestra a Jesús en el *madero de tortura,* el letrero que decía "Este es Jesús el rey de los judíos" está colocado sobre Sus manos. Esto contradice directamente el relato bíblico acerca de la muerte de Jesús.

> También, por encima de su cabeza fijaron el cargo contra él, escrito: "Este es Jesús el rey de los judíos.[5]

Puede preguntarles a los Testigos:

Cristiano: De acuerdo con el relato bíblico de la muerte de Jesús, note que colocaron un letrero sobre la **cabeza** de Jesús, no sobre Sus manos como se ve en el *madero de tortura.* ¿La representación de *La Atalaya* acerca de la muerte

---

5) Mateo 27:37, *Traducción del Nuevo Mundo,* edición en español de 1987 basada en la versión de 1984 en inglés. Énfasis añadido.

de Jesús está basada en una verdad bíblica? Si no es así, ¿en qué se basa?

También puede decirles:

Cristiano: La Biblia declara que la inscripción fue puesta sobre su cabeza. Eso significaría que Sus brazos estaban extendidos a cada lado. La interpretación de *La Atalaya* es muy diferente del relato bíblico. Los dibujos del artista muestran la inscripción sobre las **manos** de Jesús en el poste de tortura.

Después pregúnteles:

Cristiano: ¿Se basa esto en relatos de testigos oculares como se registra en la Escritura?

La Biblia cita las palabras de Tomás:

> A menos que vea en sus **manos** la impresión
> de los **clavos** y meta mi dedo en la impresión
> de los **clavos** y meta mi mano en su costado,
> de ninguna manera creeré [que Jesús resucitó
> de entre los muertos].[6]

Aquí se usa otra vez el término plural "clavos".[7] Tomás sabía que Jesús había muerto en una cruz, que en el idioma griego es *stauros*. A propósito, la letra "†" en el alfabeto griego se pronuncia "*tau*", exactamente tal como suena en la palabra stauros (cruz). ¿Es coincidencia?

---

6) Véase Juan 20:25.

7) Este pasaje menciona "clavos" únicamente en las manos de Jesús, no en Sus pies.

Preguntas que debe hacer

1. En la Biblia, ¿está la inscripción sobre la cabeza o sobre las manos de Jesús?

Respuesta: La cabeza (Mateo 27:37).

2. En las interpretaciones de La Atalaya acerca del *madero de tortura,* ¿está la inscripción sobre la cabeza o sobre las manos de Jesús?

Respuesta: Las manos.

3. ¿Cuál de estos dos relatos representa la verdad: la Biblia o la Sociedad Watchtower?

Respuesta: La Biblia.

4. ¿Debe nuestra fe basarse en la Biblia o en la Sociedad Watchtower?

Respuesta: En la Biblia.

Asegúrese de **escribir** estas preguntas en sus propias palabras para preparar mejor su estrategia evangelística.

Implemente su estrategia evangelística

Este diálogo está basado en numerosas conversaciones que he tenido con Testigos a través de los años. Le mostrará cómo usar en su estrategia evangelística el tema de "cómo murió Jesús".

Cristiano: Estuve mirando algunas publicaciones de la Sociedad Watchtower y noté algo que, me parece, muchos cristianos no saben: lo que *La Atalaya* dice sobre la manera en que murió Jesús.

T. de J.: Sí. Creemos que Jesús murió en un *madero de tortura,* no en una cruz.

Cristiano: Estoy seguro de que la evidencia que tienen es detallada, ¿verdad?

T. de J.: Sí.

Cristiano: Bueno, ¿qué tan segura está la Sociedad Watchtower de que Jesús murió en un madero de tortura?

T. de J.: Muy segura.

Cristiano: ¿Está diciendo que la Sociedad Watchtower cree que la Biblia enseña que Él murió en un madero de tortura?

T. de J.: Por supuesto. ¿A dónde quiere llegar con esa pregunta?

Cristiano: Miré de cerca el dibujo de Jesús clavado al madero de tortura, y noté que lo que la Biblia dice es muy diferente de las ilustraciones en *La Atalaya.*

T. de J.: Bueno, su idea acerca de lo que leyó es su propia interpretación.

Cristiano: Entonces, ¿está diciendo que la interpretación correcta de la Escritura **sólo** puede encontrarse en *La Atalaya?*

T. de J.: Sí.

Cristiano: Pero, ¿qué pasa si la Biblia contradice a *La Atalaya?* ¿En cuál de ellas debo confiar?

T. de J.: Eso depende de la interpretación.

Cristiano: Bueno. Muéstreme una figura de Jesús en el *madero*. Ahora obsérvela de cerca. ¿Qué ve?

T. de J.: Veo a Jesús en un madero de tortura. ¿Ahora qué?

Cristiano: Ahora leamos Juan 20:24-25 en su Biblia.

T. de J.: "Pero Tomás, uno de los doce, que se llamaba El Gemelo, no estaba con ellos cuando vino Jesús. Por consiguiente, los otros discípulos le decían: '¡Hemos visto al Señor!'. Pero él les dijo: 'A menos que vea en sus manos la impresión de los **clavos** y meta mi dedo en la impresión de los **clavos** y meta mi mano en su costado, de ninguna manera creeré'".

T. de J.: ¿Qué es lo que quiere mostrar?

Cristiano: Quiero que vea lo que la *Biblia* muestra.

T. de J.: ¿Y qué dice la Biblia?

Cristiano: *La Atalaya* claramente muestra **un** clavo en las manos de Jesús, pero Tomás usó la palabra en plural, **"clavos"**. ¿Cuántos clavos sujetan las manos de Jesús en la ilustración?

T. de J.: Uno.

Cristiano: De acuerdo con lo que usted cree, *La Atalaya* dice lo correcto en *todas* las áreas de sus enseñanzas. Pero la Biblia dice que Tomás deseaba tocar la impresión de los **clavos;** y las ilustraciones solamente muestran **un** clavo. ¿Cuál está en lo correcto?

T. de J.: (Probablemente el Testigo no pueda responder).

Cristiano: ¿Se basa esta enseñanza de *La Atalaya* en la Biblia inspirada, tal como Juan la relata?

T. de J.: (No hay respuesta).

Cristiano: Sé que le estoy dando mucho en qué pensar. Pero, hay otro punto: En el dibujo noté algo más.

T. de J.: ¿Sabe? Su argumento suena "forzado" y le está dando demasiada importancia a un detalle que no la tiene.

Cristiano: Pero, estamos hablando sobre la manera en que *La Atalaya* contradice a la palabra inspirada de Dios en la Biblia. Yo no lo llamaría un detalle sin importancia.

T. de J.: Comprendo lo que quiere decir.

Cristiano: En la ilustración de *La Atalaya* también noté que la inscripción que Pilato ordenó escribir estaba colocada sobre las manos de Jesús. Veámosla.

T. de J.: ¿Y?

Cristiano: El evangelio de Mateo dice: "También, por encima de su **cabeza** fijaron el cargo contra él, escrito: 'Este es Jesús el rey de los judíos'" (Mateo 27:37). En la ilustración, ¿está la inscripción sobre Sus **manos** o sobre Su **cabeza**?

T. de J.: Sus manos.

Cristiano: ¿Concuerda eso con la Biblia?

T. de J.: Necesito investigar un poco más acerca de este tema. No sé. Usted realmente me ha confundido.

Cristiano: ¿Cómo lo confundí? Yo no escribí ni dibujé la ilustración de *La Atalaya,* y definitivamente no escribí la

Biblia. Sólo quiero saber cómo reconcilia *La Atalaya* con la Biblia. Si usted sinceramente quiere investigar más sobre este tema, recuerde hacerse esta pregunta: "¿Cuál me está diciendo la verdad: la Biblia o *La Atalaya*"?

La decisión de seguir la verdad

El propósito de esta estrategia evangelística es demostrar que *La Atalaya* pasa por alto lo que la Biblia enseña. Revela asimismo el control que la Sociedad Watchtower tiene sobre la mente de los Testigos, incluso cuando *La Atalaya* no concuerda con la Biblia.

Algunos Testigos me han dicho: "¡Prefiero morir antes que creer en eso!" Tal actitud es un claro ejemplo de lo dispuestos que están los Testigos a defender *La Atalaya,* en lugar de tomar seriamente la verdad de la Biblia. Esté preparado porque a usted le dirán lo mismo.

En este punto, hágales saber que definitivamente están poniendo de lado la verdad de la Palabra de Dios, y escogiendo confiar y creer en una Atalaya *no inspirada*.

Aquí es cuando debe preguntarle al Testigo:

Cristiano: ¿Qué piensa acerca del verdadero valor y del propósito eterno de la Biblia, si insiste en aferrarse a una enseñanza de Watchtower que contradice a la Biblia? Usted tiene que hacer una decisión. ¿Cuál está diciendo la verdad: la Biblia o la Sociedad Watchtower?

Si el Testigo responde que la Biblia dice la verdad, entonces necesita decidir: "¿Qué haré en cuanto a *La Atalaya?*" Si opina que *La Atalaya* dice la verdad, entonces debe decidir: "¿Qué haré en cuanto a la Biblia? ¿Y cuál es el propósito y el valor eterno de la Biblia para mí?" Por supuesto, sin la Biblia, *La Atalaya* no tiene mensaje.

Le aconsejamos otra vez: escriba estas ideas en sus propias palabras. Eso le ayudará a recordar cómo plantearle al Testigo esas preguntas que le harán pensar, y cuyo propósito es destruir su confianza en la Sociedad Watchtower.

CAPÍTULO 5

¿Quién Resucitó a Jesús?

La Palabra de Dios no se contradice. Sin embargo, si uno interpreta erróneamente los versículos, puede hacer que la Biblia *parezca* contradecirse.

La Palabra de Dios es infalible e inspirada. Cuando leemos la Biblia sola, todo en ella se combina en completa armonía. No necesita la interpretación carente de inspiración y falsa del ser humano.

¿Qué sucede con la interpretación de *La Atalaya* en cuanto a la resurrección de Jesús? Como verá, la Sociedad Watchtower hace que los pasajes bíblicos parezcan contradecirse, pero la interpretación que ella hace no puede reconciliarse con la Biblia.

Para que los Testigos de Jehová crean que la Biblia no contiene contradicciones, deben leerla y entenderla *sin* la interpretación de la Sociedad Watchtower. Entonces verán cómo la Biblia se combina armoniosamente.

Anteriormente dije que es inútil mencionar pasajes bíblicos al evangelizar a Testigos de Jehová. Sin embargo, en este capítulo, al preguntar quién resucitó a Jesús, el propósito es *identificar a Aquel que resucitó a Jesús*. Al hacer esto, sólo debe mencionar tres artículos de *La Atalaya* que muestran tres puntos de vista distintos. Y usted tan solo debe preguntarles cuál artículo de *La Atalaya* es supuestamente el verdadero.

Recuerde: los Testigos de Jehová respetan a la Sociedad Watchtower mucho más que a la Biblia. ¿Por qué? Porque sin la Sociedad Watchtower, los Testigos de Jehová *no tienen idea* alguna de lo que dice la Biblia.

Jehová Dios resucitó a Jesús

Un ejemplo de cómo *La Atalaya* interpreta la Biblia tiene que ver con la identidad de Aquel que resucitó a Jesús. Según las Escrituras inspiradas, Dios resucitó a Jesús de entre los muertos.

> Porque si declaras públicamente aquella 'palabra en tu propia boca', que Jesús es Señor, y en tu corazón ejerces fe en que **Dios lo levantó de entre los muertos,** serás salvo.[1]

---

1) Romanos 10:9, *Traducción del Nuevo Mundo* (1987). Énfasis añadido.

Puede preguntarle:

Cristiano: Según la interpretación de *La Atalaya* de Romanos 10:9, ¿quién resucitó a Jesús?

T. de J.: Dios.

Cristiano: Según los Testigos, ¿quién es Dios?

T. de J.: JEHOVÁ.

Cristiano: ¿Menciona este pasaje a alguien más que haya resucitado a Jesús?

T. de J.: No.

Es sorprendente que *La Atalaya* también concuerda con el pasaje:

> "Por el contrario, [Jesús] yació inconsciente en la muerte por tres días hasta que **Dios lo resucitó**".[2]

Cristiano: ¿Es correcto decir que, según Romanos 10:9 en la Escritura inspirada, Jehová Dios resucitó a Jesús de entre los muertos?

T. de J.: Sí.

Y el único "Dios" que la Sociedad Watchtower reconoce como el Dios verdadero es Jehová Dios: Dios el Padre.

Usted acaba de lograr que el Testigo admita que Jehová Dios resucitó a Jesús.

---

2) *La Atalaya*, junio 15, 1994, p. 6. Énfasis añadido.

El papel de Jesús en Su propia resurrección

En un artículo titulado "Las Propias Palabras de Jesús", *La Atalaya* citó a Jesús diciendo: "Demuelan este templo, y en tres días lo levantaré". Juan añade: "Él hablaba acerca del templo de su cuerpo".[3]

Cristiano: Según este artículo de *La Atalaya*, ¿quién resucitó a Jesús?

Tal vez respondan: Jesús lo hizo.

¡Un momento! ¿Cómo reconcilia un Testigo de Jehová la anterior enseñanza de *La Atalaya*, que **Jesús** resucitó su **propio** cuerpo, con *La Atalaya* del 15 de junio de 1994 y Romanos 10:9, donde se dice que **Jehová Dios** resucitó a Jesús de entre los muertos? (Puede decirles que anoten la fecha de ese número de *La Atalaya* para que la lean por sí mismos).

Cristiano: Si esta *Atalaya* dice que sólo Jehová Dios resucitó a Jesús de entre los muertos, entonces este artículo de *La Atalaya* y los pasajes bíblicos que cita contradicen al otro artículo de *La Atalaya* y los versículos que cita.

Cristiano: ¿Quién dice la verdad: la Sociedad Watchtower o la Palabra de Dios inspirada?

Si el Testigo dice "la Biblia", infórmele que la Sociedad Watchtower no tiene autoridad para interpretar las Escrituras, y no se puede confiar en ella debido a este punto de vista contradictorio.

---

3) *La Atalaya*, mayo 1, 1979, p. 28. Lea Juan 2:19-21.

De cualquier manera, ha logrado que el Testigo admita que Jesús se resucitó a Sí mismo de entre los muertos, y que Jehová Dios resucitó a Jesús de entre los muertos.

El papel del Espíritu Santo en la resurrección de Jesús

Esto, sin embargo, no es todo. Si *La Atalaya* es en verdad una ayuda para estudiar la Biblia y representa la verdad, hay un artículo más de esa publicación y otro pasaje bíblico que el Testigo debe reconciliar con los otros dos artículos y pasajes bíblicos:

> ... **resultados del espíritu de Jehová Dios en operación:** (1) Creación - Génesis 1:2; Salmos 104:30; (2) Nacimiento de Jesús - Mateo 1:18; (3) **Resurrección de Jesús** - Romanos 8:11...).[4]

Cristiano: Según este artículo de *La Atalaya* y Romanos 8:11, ¿quién resucitó a Jesús?

T. de J.: El espíritu de Jehová Dios.

La Atalaya y sus interpretaciones dejan a sus lectores preguntándose: ¿exactamente quién resucitó a Jesús?

El Testigo no cree en la Trinidad,[5] pero tal vez en este punto quiera discutir el tema. Debe recordarle lo siguiente:

---

4) *The Watchtower* (La Atalaya), junio 15, 1966, p. 359. Énfasis añadido. Traducción libre.
5) Los Testigos de Jehová no comprenden la Divinidad, así que no saben que el Padre, el Hijo y el Espíritu Santo son un Dios. Ellos enseñan que sólo existe Jehová Dios, no el Hijo ni el Espíritu. Estos pasajes bíblicos no se contradicen entre sí, pero al Testigo de Jehová le parecerá que sí lo hacen.

Cristiano: No deseo discutir acerca de la Trinidad. *Lo único que me interesa es saber quién resucitó a Jesús.*

T. de J.: ¿Por qué?

Cristiano: Porque *La Atalaya* tiene tres puntos de vista diferentes.

Este es el punto que debe establecer.

El Testigo no sólo necesita reconciliar los pasajes bíblicos de acuerdo con la interpretación de *La Atalaya,* sino que también debe determinar **cuál** punto de vista de *La Atalaya* es correcto.

Recuerde que si él escoge un punto de vista, entonces los otros dos son incorrectos. Y si los otros puntos de vista están errados, entonces la Biblia se contradice. ¿Por qué? Recuérdele al Testigo que él cree que *La Atalaya* es una ayuda para estudiar la Biblia.

Esto es de suma importancia. Al citar la Biblia, *La Atalaya* accidentalmente ha enseñado algo que contradice lo que antes se le ha enseñado al Testigo.

Cristiano: Bueno, mi primera pregunta es: "¿En cuál de las tres declaraciones contradictorias de *La Atalaya* debo creer?"

Cristiano: Y mi segunda pregunta es: "¿Debo creer en declaraciones de *La Atalaya* que contradicen directamente a la Biblia?"

Esto muestra claramente el peligro de permitir que una

publicación no inspirada interprete la Biblia por usted. El Testigo debe decidir cuál tiene mayor propósito y valor eterno, y a cuál debe ofrecerle su lealtad: a *La Atalaya* no inspirada, o a la Biblia?

Si el Testigo lee la Biblia sin *La Atalaya* para darle la interpretación, él **sabrá** quién resucitó a Jesús.

Aunque lo ha guiado a comprender que Jehová Dios, Jesús y el Espíritu de Dios resucitaron a Jesús, no hable sobre la doctrina de la Trinidad. Ese tema es **sumamente ofensivo** para los Testigos y podría perderse la eficacia de su testimonio.

Resumen

- En Romanos 10:9, la Biblia enseña que Dios [Jehová] resucitó a Jesús de entre los muertos.

- *La Atalaya* concuerda con la Biblia.[6]

- La Biblia cita a Jesús diciendo que Él resucitaría el Templo de Su cuerpo.[7]

- *La Atalaya* concuerda con la Biblia.[8]

- Se usa la Biblia para apoyar la enseñanza de que el Espíritu de Jehová Dios resucitó a Jesús.[9]

- *La Atalaya* concuerda con la Biblia.[10]

---

6) *La Atalaya,* junio 15, 1994, p. 6.
7) Juan 2:19-21.
8) *La Atalaya,* mayo 1, 1979, p. 28.
9) Romanos 8:11. Lea también 1 Pedro 3:18.
10) *The Watchtower* (La Atalaya), junio 15, 1966, p. 359.

- Para el Testigo de Jehová sólo una de estas posiciones de *La Atalaya* puede ser verdadera. ¿Cuál es?

Cristiano: Usted, como un Testigo de Jehová, tiene que decidir. ¿Cuál tiene mayor propósito y valor eterno, y a cuál le entregará su lealtad: a *La Atalaya* no inspirada, o a la Biblia inspirada?

Tercera Parte

La Salida de Watchtower

CAPÍTULO 6

El Costo de Salir de la Sociedad Watchtower

El Testigo a quien usted comparta esta información tendrá mucho en qué pensar. Al fin y al cabo, todo lo que él conocía y consideraba valioso ha sido refutado y posiblemente destruido.

Esta es una etapa crítica tanto para usted como para él. ¿Por qué?

Recuerdo una ocasión cuando me reuní con un Testigo que había estado en la organización por 27 años, y su prometida estaba a punto de convertirse también en Testigo de Jehová.

Les mencioné algunos puntos de la estrategia evangelística, cuestionando la autoridad de *La Atalaya* como se describe en este libro. Realmente eran personas con las que no era fácil tratar. Al fin, hubo un momento cuando percibí cierta debilidad en un tema que procuraban evadir. Ellos habían perdido y lo sabían, y yo también lo sabía.

De pronto el hombre se levantó y empezó a gritarle a su prometida y luego a mí:

> ¡Querida, nos mintieron! ¡Nos mintieron! ¿Qué vamos a hacer?

Ella lo miró y luego me miró a mí, mientras las lágrimas rodaban por sus mejillas.

"¿Qué vamos a hacer *ahora*?", gritaba él una y otra vez.

Permanecí sentado allí, observando cómo se desarrollaba la escena frente a mí, y esperando que ambos se desahogaran por el choque que acababan de sufrir.

En ese momento, cuando el Testigo reconoce que la Sociedad Watchtower no es el vocero de Dios en la tierra, usted ha alcanzado el punto más crucial de su ministerio.

Ahora que él está convencido de los errores de la Sociedad Watchtower, ¿abandonará su fe? Y si lo hace, ¿qué rol tendrá usted en su vida?

El trauma de una fe destruida

Una vez que guíe a uno de los Testigos de Jehová a salir de la organización Watchtower, el desafío para usted recién ha principiado.

Muchos que salen de Watchtower por sí solos nunca más se involucran en una "religión", de ninguna clase. Muchos llegan a ser agnósticos o ateos. Muchos consideran el suicidio. Algunos ceden a esos pensamientos. Lo bueno es que, con el tiempo, algunos superan el trauma de haber salido de la organización Watchtower y tienen una vida provechosa.

Muchas publicaciones tratan del ministerio a los Testigos de Jehová; pero muy pocas hablan del trauma que sufren los que salen de la organización Watchtower. Después de todo, éstos sienten que el dios a quien servían los engañó y los usó. De pronto se encuentran sosteniendo los pedazos rotos de la vida que antes tenían en la Sociedad Watchtower.

Considere su propio caminar con Cristo. Usted aprecia mucho a su pastor, a los líderes de su iglesia y la Palabra de Dios. Ama todo lo que Jesús es, lo que Él significa para usted y el sacrificio que hizo en su favor. Usted llora cuando lo adora, mientras le da gracias a Dios por Su amor. Su fe es la medida total de su vida. Mientras está despierto, pasa cada momento con el Señor, su Redentor.

¿Qué pasaría si, de pronto, se diera cuenta de que todo aquello en lo que usted confiaba estaba basado en especulación, engaño y ficción; y que la evidencia de eso es irrefutable?

¿A quién le brindaría su lealtad? ¿Alguna vez volvería a creer? Este es el mismo dilema que el Testigo enfrenta cuando comprende la verdad acerca de la Sociedad Watchtower.

El hombre con quien me reuní aquel día me hizo una pregunta muy importante:

¡Jehová me falló! ¿Qué garantía puede darme

usted de que el Dios a quien dice servir no me
fallará también?

¿Puede comprender el espíritu con que planteó esa pregunta? La fe y la confianza en su dios estaban totalmente destrozadas. La pérdida de esta religión deja una herida profunda en el corazón, como cuando se pierde a un ser querido que fallece. El trauma se puede comparar a la recuperación de una enfermedad grave. Requerirá muchos ajustes y puede tardar varios años.

Uno de los ajustes con que el Testigo necesitará lidiar es su temor a quedar fuera del "arca de la organización Watchtower". *Esa red de protección era lo único que conocía.*

Tendrá que reorientar su perspectiva acerca de la vida en general, puesto que lo veía todo a través del lente de la Sociedad Watchtower, y estaba acostumbrado a depender de ella como su fuente de estabilidad y su red protectora. Ahora ya no las tiene.

Sin embargo, eso era necesario para que pudiera tener un panorama claro y una relación con el verdadero Jesús —el Jesús de la Biblia—, no el Jesús de la Sociedad Watchtower.

Ahora tiene usted un conocimiento básico de lo que el Testigo enfrentará si deja su religión.

La pérdida de la familia y la seguridad

Una vez que el Testigo salga de la organización Watchtower, usted debe saber que aquellos a quienes él ama lo despreciarán y rechazarán completamente:

- Su familia
- Sus amigos
- Sus asociados en el Salón del Reino
- Sus compañeros de trabajo

Es decir, cesarán sus relaciones con todos los Testigos, incluso si se trata de la esposa, el esposo, los hijos, hermanos, hermanas, tías o tíos —eso no tiene importancia. *Será retirado de la comunión (excomulgado), lo considerarán como muerto y sus seres queridos lo rechazarán.*

Al considerar su salida de la organización, él sabe lo que le costará y le producirá una profunda angustia. Puesto que es un Testigo, sus relaciones han girado únicamente en torno a otros Testigos.

La separación de la comunión (o excomunión) de uno de los Testigos de Jehová es dura y cruel. Es el castigo más severo que pueden sufrir y el más temido. Él ya no existe como persona y se le considera traidor y apóstata. Sus propios hijos lo tratarán como tal y le darán la espalda.

Las primeras semanas (o meses) después de ser excomulgado serán los más críticos. **Al ser rechazado, estará solo.** La severidad del trauma por su excomunión dependerá también de cuánto tiempo haya estado en la organización.

Ser excomulgado no implica tan solo sufrir el rechazo de la familia y los amigos, sino de "Jehová Dios mismo" y de "Su" organización —la Sociedad Watchtower— "el arca de salvación".

Es la experiencia más humillante y degradante que un

Testigo puede enfrentar; y se lleva a cabo en el Salón del Reino, esté él presente o no. Todos lo sabrán.

El ajuste en su nueva vida tal vez tome muchos años. El estilo de vida que disfrutaba como uno de los Testigos de Jehová se ve amenazada ahora. Es posible que muchos no salgan de la organización Watchtower porque el costo es demasiado alto. Y si deciden salir, sufren un tremendo sentimiento de culpa por no estar haciendo lo que se les pedía como requisito para "agradar a Jehová y a su organización". Esa era la vida a la que estaba acostumbrado y la única que conocía.

Sin embargo, una vez que salga, necesitará un tiempo de recuperación como alguien que ha estado gravemente enfermo. Durante este tiempo experimentará una amplia variedad de emociones:

- Temor
- Desilusión
- Fracaso

- Ira
- Frustración
- Derrota

- Depresión
- Ansiedad

Tal vez sienta también dolor y tristeza por todos esos años que desperdició, creyendo que el Armagedón estaba siempre cercano. Por causa del inminente peligro del Armagedón, muchas parejas nunca tuvieron hijos, nunca obtuvieron títulos universitarios y jamás hicieron realidad el sueño de una carrera que les brindara satisfacción.

Asimismo, es posible que sienta que fue usado. Después de todo, la religión demandaba que asistiera a reuniones cinco días a la semana y que dedicara su tiempo a leer únicamente la literatura de Watchtower. La esencia de su vida estuvo entretejida en la estructura misma de la Sociedad Watchtower.[1]

Aferrados al pasado

Recuerdo a una ex Testigo de Jehová que asistía a la iglesia donde yo era parte del equipo pastoral. Era un miembro fiel de la iglesia y sentía pasión por Jesús. Unos años antes, ella había escrito una carta a su Salón del Reino y se había separado de la organización Watchtower.

Aunque ella había experimentado el nuevo nacimiento, todavía no podía aceptar una transfusión de sangre ni celebrar la Navidad con la conciencia tranquila. Llevaba las cicatrices de sus creencias pasadas. A pesar de conocer a Jesús como su Salvador y Señor, su vida pasada aún le afectaba.

En una convención de ex Testigos de Jehová hablé con otra mujer que, hacía dos años, había salido de la organización Watchtower. Había nacido en una familia de Testigos y dejó la organización cuando tenía 25 años. Al mirar la literatura de Watchtower que yo tenía, con lágrimas rodando por su rostro dijo:

> Yo amaba a Jehová. Di 25 años de mi vida a la Sociedad Watchtower y amaba a Jehová.

Después de dialogar brevemente con ella, reconoció que el Jehová que había amado era un cruel engaño: el dios falso que presentan las publicaciones de Watchtower.

---

1) Si desea más información, lea *Jehovah's Witnesses and the Problem of Mental Illness* (Los Testigos de Jehová y el problema de las enfermedades mentales), por el Dr. Jerry Bergman, Ph.D. (1992).

Muchos Testigos que han salido de Watchtower son como aquellos que retornan de la guerra y les es difícil reintegrarse a la sociedad.

Son también como aquellos que estuvieron presos la mayor parte de su vida y luego no pueden adaptarse a la sociedad. Algunos deliberadamente quebrantan la ley para perder la libertad y volver a la cárcel.

Tal es el desafío para los que se sometieron a la Sociedad de Biblia y Tratados Watchtower como uno de los Testigos de Jehová.

Esta es una religión que se jacta de ser diferente del resto de la sociedad. Los miembros de esta secta se enorgullecen de su religión y "defienden su fe" rehusando:

- Presentar el saludo a la bandera de su país.

- Ponerse de pie por respeto al himno nacional.

- Celebrar los cumpleaños, la Navidad, el Domingo de Resurrección, Día de la Madre, Día del Padre, etc.

- Transfusiones de sangre.

El Testigo sabe que, al salir de esta religión, perderá la "categoría" de ser diferente y descenderá a la condición común. Ese orgullo está entretejido en su autoestima, dándole un sentido de valía por *no ser como los demás. Esa era su identidad.*

Una vez que logre guiar al Testigo para que salga de la Sociedad Watchtower, sea sensible a lo que él está sintiendo.

Sea paciente al discipular

Cuando yo era niño mi familia viajó a Disneylandia. En cierto momento, llevado por la curiosidad, dejé la protección de mis padres y me fui a caminar de un lugar a otro. Estaba fascinado con las luces y los sonidos de ese gran parque de diversiones; pero también estaba perdido.

Mientras las lágrimas caían por mi rostro, a todas las personas con que me cruzaba les preguntaba si habían visto a mis padres. Por supuesto, nunca se me ocurrió pensar que nadie allí conocía a mi familia. Sencillamente yo estaba asustado y aterrado.

Entonces un policía uniformado me vio y me preguntó si estaba perdido. Juntos fuimos a buscar a mi mamá y a mi papá. Unos minutos después, mi familia y yo estábamos juntos otra vez. Aunque yo lloraba, sentí una paz enorme al abrazar a mis padres.

Esas emociones son muy similares a las que sienten los Testigos que salen de Watchtower: al principio, la sensación de una profunda pérdida y separación. Necesitan un hogar, un lugar donde puedan sentirse seguros, amados y aceptados. Así como yo experimenté esa sensación de seguridad cuando me reuní otra vez con mi familia, los Testigos sienten esa misma seguridad dentro de la Sociedad Watchtower.

Cuando salen de ese lugar seguro (como lo hice yo aquel día) y se dan cuenta de lo que perdieron, lo único que anhelan es encontrar una zona segura, ¡y pronto!

Así como ese policía fue paciente y se preocupó por mí,

y se propuso reunirme con mi familia, usted tiene la oportunidad de guiar al Testigo a una vida de seguridad, siendo su amigo, reoriéntandolo para que se integre otra vez a la sociedad, y discipulándolo en su caminar con Cristo.

Puesto que algunos conceptos de la teología de Watchtower pudieran estar aún arraigados en su pensamiento, usted necesitará ejercer la paciencia durante el proceso de discipulado.

Permítame recordarle: tendrá que repasar pacientemente con él las estrategias evangelísticas que refutaron y destruyeron su sistema de creencias. Esto cimentará bien en su mente el hecho de que la Sociedad Watchtower nunca más puede ser confiable. También debe preguntarle si él podría confiar totalmente en la Sociedad Watchtower otra vez.

Recuerde: el Testigo ha dado años de su vida a la Sociedad Watchtower. Lo único que conoce es la teología de *La Atalaya* y quizás todavía rechace algunas creencias cristianas verdaderas. Sólo el Espíritu Santo puede convencerlo de lo erróneo de su antiguo sistema de creencias.

CAPÍTULO 7

Cómo Presentar el Plan de Salvación

Tal vez usted se haya enfrentado a uno de los Testigos de Jehová en la puerta de su casa, o alguno de sus parientes o amigos esté en la Sociedad Watchtower, y su intento de evangelizarlo haya caído en oídos sordos. Anímese: ahora tiene un plan y estrategias probadas y eficaces para ganar a ese Testigo para Cristo.

¿Cuál es su plan?

1. Evite mencionar el "punto de conflicto" que provoca discusiones: la Biblia. *Nunca* hable ni argumente sobre temas teológicos o pasajes bíblicos.

2. Su estrategia es debilitar y destruir la línea de comunicación que alimenta a los Testigos: las publicaciones de Watchtower.

3. Esto se lleva a cabo **preguntando a los Testigos si sus publicaciones son inspiradas.** La ventaja para usted es que Watchtower admite que sus publicaciones **no** son inspiradas y que han cometido errores proféticos. Esto demuestra que, en primer lugar, sus líderes jamás escucharon a Dios.

4. Añada semillas de duda en la mente de ellos hasta que su confianza en la Sociedad Watchtower se destruya. Puede lograrlo mostrando lugares específicos en *La Atalaya* donde ésta 1) se contradice a sí misma, y 2) claramente contradice a la Biblia.

5. Una vez destruida la confianza del Testigo de Jehová en su organización, él ya no puede apelar a lo que le enseñaron en base a las publicaciones de Watchtower. Entonces usted tendrá un candidato listo para escuchar el evangelio.

Le animo a que escriba estos principios y así podrá seguir un bosquejo en su presentación. Puesto que los Testigos están acostumbrados a seguir el estilo de enseñanza de la Sociedad, usted hará su presentación en la misma forma de un estudio de *La Atalaya* — sin *La Atalaya,* por supuesto.

• Si él menciona alguna objeción teológica durante este estudio, recuérdele que sus objeciones se basan únicamente en las enseñanzas no inspiradas de *La Atalaya,* escritas por hombres no inspirados que en realidad nunca escucharon a Dios.

Todo su sistema de creencias debe ser reestructurado con principios bíblicos, libre de la influencia de la Sociedad Watchtower.

Usted tendrá que continuar sembrando semillas de duda en la mente del Testigo. Recuérdele que no existe un propósito bueno ni valor eterno en *La Atalaya* no inspirada, ni en el "Dios" en quien creía antes. Use esta duda para ventaja suya mientras sigue los pasos para guiarlo a Cristo. La duda pronto será remplazada por la fe.

Su estrategia evangelística

Ningún general llevaría a sus soldados a la guerra sin contar con un plan estratégico. A fin de lograr la victoria, el soldado, antes de ser enviado a la batalla, siempre será entrenado en cuanto a la estrategia que sus líderes han planeado. Siguiendo las siguientes sugerencias, usted puede lograr la victoria rescatando a un Testigo de Jehová que estaba perdido.

• Ayude al Testigo a comprender que, aunque dicen usar la Biblia, *realmente* usan *La Atalaya* como su principal texto de estudio. (En el capítulo 2 hallará preguntas que le ayudarán a empezar).

• **No cite versículos bíblicos para defender sus argumentos.** Use simple lógica, comparando la Biblia con *La Atalaya* carente de inspiración. Su estrategia es lograr que los Testigos piensen en esto: ¿cuál tiene mayor propósito y valor eterno: la Biblia o la *Atalaya* no inspirada? La posición del Testigo empezará a debilitarse.

• Si necesita más evidencias para probarle que la Sociedad no es inspirada, muéstrele cómo Watchtower cometió un enorme error al afirmar que Jesús murió en un "madero de tortura" en vez de una cruz. (Vea el capítulo 4).

• Señale que *La Atalaya* tiene tres puntos de vista incoherentes respecto a quién resucitó a Jesús. (Vea el capítulo 5).

Ore. Después no se preocupe. Dios le guiará.

A medida que adquiera práctica, con el tiempo entenderá las tácticas de los Testigos y reconocerá las debilidades que tienen.

No importa cuál método use el Testigo para defender lo que le enseñaron, *recuérdele que todo lo que cree está fundamentado en escritos no inspirados.* **Este es un punto clave.**

Tácticas de los Testigos de Jehová

Los Testigos están muy bien entrenados para dominar por completo la situación. Observe atentamente cómo tratan de controlar la conversación. **Jamás** permita que eso suceda.

Una vez que el Testigo se siente indefenso y vulnerable, con astuta sutileza cambiará el tema y dirigirá la conversación hacia otro tema. Si eso ocurre, hágale preguntas similares a las siguientes: "¿No le interesa lo que estábamos hablando?" O: "Este tema es importante para mí, ¿por qué para usted no lo es?" "¿Acaso mi pregunta lo está forzando a eludir la verdad en este asunto?"

Mientras le presentaba mis argumentos a una Testigo de Jehová con experiencia, la noté inquieta. De pronto me preguntó si yo celebraba la Navidad. Cambió el tema por dos razones:

1. Para eludir el asunto llevándome a defender lo que ella creía que yo estaba haciendo durante la época navideña.

2. Para eludir el punto del que yo le estaba hablando. De ese modo ella podría recobrar el control de la conversación

al desviarme en otra dirección: hacia su campo de juego.

Punto clave: Manténgase en el tema que están discutiendo. No se desvíe.

Aunque los Testigos usan la Biblia como parte de su mensaje, **no caiga en la trampa de argumentar sobre pasajes bíblicos.** La *Traducción del Nuevo Mundo* es una versión parcializada, escrita específicamente para que los Testigos fundamenten la teología de *La Atalaya.* Si usted cae en su trampa y discute versículos bíblicos, perderá la eficacia de su testimonio y estará en el territorio de *ellos*. El Testigo argumentará lo que cree que es la verdad basada en su propia Biblia. Usted tendrá que defenderse y su evangelización no hará impacto. Sólo terminará *frustrado*.

Preguntas para los Testigos

Tenga en mente que los Testigos no entienden la salvación en el mismo sentido en que usted la comprende. En la mente de ellos, la salvación está reservada tan solo para 144,000 escogidos. *Después* **que él haya rechazado la autoridad de la Sociedad Watchtower, al fin usted podrá usar su Biblia y realmente evangelizará al ex Testigo presentándole a Cristo.**

Una advertencia: Después de leer un versículo bíblico, no dé su interpretación personal; si lo hace, él se pondrá a la defensiva. *Permita que las Escrituras se interpreten por sí solas.* Recuerde que él creía que usted era pagano. Es posible que aún luche con esa idea y no confíe totalmente en usted.

Tiene que presentarle una serie de preguntas y señalarle el

pasaje bíblico **que le dará la respuesta.** De este modo fue entrenado para estudiar la Biblia con ayuda de *La Atalaya.* Usted usará *el mismo método* para guiarlo a Cristo. Tal vez no confíe en usted, pero confiará en la Biblia.

Desde que inicie el proceso para guiarlo a Cristo, y hasta que él decida confiar en usted y en su Biblia Reina-Valera-Gómez, necesitará usar la *Traducción del Nuevo Mundo* que él tiene.

Puesto que, en países donde se habla inglés, la Sociedad Watchtower ha publicado Biblias de la Versión King James, que es igual a la versión Reina-Valera-Gómez, él podrá ha-cer la transición de la *Traducción del Nuevo Mundo* a la RVG. Recuérdele al Testigo que la Sociedad Watchtower usó la Biblia King James en inglés hasta 1949. Ciertamente debe ser una Biblia confiable si aún la imprimen hoy en día.

Las siguientes son preguntas que usted puede hacer.

- **¿Por qué es importante nacer de nuevo?**

    A menos que **uno** nazca de nuevo, no puede ver el reino de Dios.[1]

- **¿Quién puede nacer de nuevo?**

    Todo el que cree que Jesús es el Cristo ha nacido de Dios...[2]

Debemos poner nuestra confianza en Jesucristo para nacer de nuevo.

---

1) Juan 3:3, *Traducción del Nuevo Mundo,* 1987 (énfasis añadido).
2) 1 Juan 5:1, *Traducción del Nuevo Mundo,* 1987 (énfasis añadido).

• **¿Mostraron urgencia las palabras de Jesús cuando Él dijo que uno debe nacer de nuevo?**

No te maravilles a causa de que te dije: **USTEDES tienen** que nacer otra vez.[3]

• **¿Cuál es la recompensa para los que nacen de nuevo?**

Jesús contestó: "Muy verdaderamente te digo: A menos que **uno** nazca del agua y del espíritu, no puede **entrar en el reino de Dios.**[4]

También puede hacerle preguntas como las siguientes:

• ¿Notó que en estos pasajes Jesús repitió palabras importantes como "uno", "todos", "ustedes"?

• Al leer estos pasajes, ¿a quiénes incluyen las palabras "uno", "todos" y "ustedes"?

• ¿Dejan fuera a alguien?

• ¿Está de acuerdo en que esas palabras lo *incluyen* a usted?

• ¿Sabía usted que, en 1886, la Sociedad Watchtower dijo:

... la única base de salvación mencionada en las Escrituras es la fe en Cristo como nuestro Redentor y Señor. 'Por esta bondad inmerecida, en verdad, ustedes han sido salvados mediante fe'. Ef. 2:8.[5]

La única manera por la que todos los de la raza condenada pueden llegar a Dios no es

---

3) Juan 3:7, *Traducción del Nuevo Mundo,* 1987 (énfasis añadido).
4) Juan 3:5, *Traducción del Nuevo Mundo,* 1987 (énfasis añadido).
5) *The Divine Plan of the Ages* (El plan divino de las edades, 1886), p. 100.

mediante obras meritorias, ni por ignoran-
cia, sino mediante la fe en la sangre preciosa
de Cristo que quita el pecado del mundo (1
Pedro 1:19; Juan 1:29). Este es el evangelio,
las buenas nuevas de gran gozo que serán para
TODA LA GENTE.[6]

- ¿Cuál es la única base de salvación que se menciona
  en las Escrituras?

- ¿Cuál es el único medio por el que todos los de la
  raza condenada pueden llegar a Dios?

Recuerde: Al Testigo le enseñaron que permanecerá en el
Paraíso en la Tierra como parte de una Gran Multitud. Aunque esto tal vez aún esté en su mente, recuérdele que ya ha
comprobado que *La Atalaya* nunca fue inspirada y que la
única verdad que importa ahora es lo que dice la Biblia.

Quizás él necesite leer otra vez los versículos antes mencionados para sembrar semillas de fe en su corazón. Usted
se asombrará al ver cuán rápidamente la fe cambiará el enfo-
que de su corazón cuando él empiece a dudar de *La Atalaya*.

- **Pídale que lea Juan 6:35-40**

- ¿Quién es el Pan de Vida?

- ¿Cómo responderá Jesús a los que vayan a Él?[7]

- ¿Qué se les promete a los que creen en el Hijo?[8]

---

6) *The Divine Plan,* p. 103.
7) Juan 6:37.
8) Juan 6:40.

• Jesús hizo otra promesa a los que creen en Él. ¿Cuál es?[9]

Puede preguntarle:

• ¿Recuerda lo que leyó acerca de "uno", "todos" y "ustedes"? ¿Lo incluye la Biblia a usted personalmente?

• ¿Qué enseña la Biblia en Juan 6:35-40, 47?

Pídale que lea Juan 3:15-16

• ¿Cuál palabra se usa en referencia a los que creen en Jesús? ¿Lo incluye a usted también?

Respuesta: Sí

Pídale que lea Juan 14:6

> Jesús le dijo: Yo soy el camino y la verdad y la vida. Nadie viene al Padre sino por mí.[10]

• ¿Qué declaró Jesús en este pasaje?

• Si la afirmación de Jesús es verdadera, ¿hay otro camino al Padre?

Pídale que lea Hechos 4:10-12

• ¿Cuál nombre se ha dado entre los hombres bajo el cielo por el cual debemos ser salvos?

Pídale que lea Hechos 8:26-39

• Después que Felipe le testificó a un etíope, éste preguntó si podía ser bautizado. Felipe respondió:

> ... Si crees de todo corazón, bien puedes. Y él

---

9) Juan 6:47.
10) *Traducción del Nuevo Mundo*, 1987.

respondiendo, dijo: Creo que Jesucristo es el
Hijo de Dios.[11]

El ex Testigo tendrá que leer este versículo en la Biblia
Reina-Valera-Gómez que usted tiene, y debe indicarle que
Hechos 8:37 no fue *incluido* en la *Traducción del Nuevo
Mundo*. Creo que el comité de traducción de Watchtower lo
borró para que esta verdad crucial no llegara a los Testigos.

Nota: En los Estados Unidos, los Testigos que hablan
inglés podrían hallar una Biblia King James (que es igual a
la Reina-Valera-Gómez en español) en la biblioteca teocrática del Salón del Reino. O podrían pedirla por medio de la
sede de la Sociedad Watchtower en Brooklyn, Nueva York.

Usted puede mencionar también que la Sociedad Watchtower nunca imprimiría una Biblia no confiable para sus
seguidores.

Pregunte: Puesto que el etíope hizo esta confesión de fe,
¿significa que él fue salvo antes de ser bautizado?

Pídale que lea Hechos 9:20

• ¿Por qué Saulo predicó que Cristo es el Hijo de Dios?

• ¿Cuál era el propósito de este mensaje?

• ¿Cómo se relaciona esto con la confesión de fe del etíope?

Pídale que lea Romanos 3:22-24

Sí, la justicia de Dios mediante la fe en Jesucristo, para todos los que tienen fe. Porque no

---

11) Hechos 8:37 (RVG).

hay distinción. Porque todos han pecado y no alcanzan a la gloria de Dios, y **es como dádiva gratuita que por su bondad inmere-cida se les está declarando justos** mediante la liberación por el rescate [pagado] por Cristo Jesús.[12]

- ¿Qué está disponible para todos los que tienen fe?

- ¿A cuál dádiva gratuita se refiere este pasaje?

- ¿Es esta dádiva gratuita para todos?

Pídale que lea Romanos 6:23

- ¿Por cuál don se recibe vida eterna?

Pregunte: ¿Cómo es salva una persona? Después pídale que lea Romanos 10:9-10. ¿Cuál es la fórmula para la salvación?

Respuesta: Confesar con la boca que Jesús es Señor y creer con el corazón que Dios lo resucitó de entre los muertos.

Pídale que lea Efesios 2:8-9

- ¿Se recibe la salvación por fe o uno tiene que trabajar para obtenerla?

Podría decirle: Sé que usted trabajó en la organización para alcanzar el favor de Dios y escapar de la destrucción en el Armagedón, pero ¿qué clase de obras le pide Dios?

Pídale que lea Juan 6:28-29

Por lo tanto le dijeron: ¿Qué haremos para obrar las obras de Dios?. En respuesta, Jesús

---

12) *Traducción del Nuevo Mundo,* 1987 (énfasis añadido).

les dijo: Esta es la obra de Dios: que [USTE-
DES] ejerzan fe en aquel a quien ESE ha
enviado.[13]

**Ahora está preparado para presentarle al ex Testigo al
Hijo de Dios.** Todo lo que ha estudiado, orado y aplicado
de los principios presentados en este libro ha sido para este
momento especial: la *salvación* para el ex Testigo de Jehová.
Este es el propósito por el cual ha tomado notas, ha practi-
cado y ha pasado tiempo con el Testigo.

En este punto, hay numerosos pasajes bíblicos que puede
usar para invitar al Testigo de Jehová a recibir a Jesús. Le
sugerimos algunos aquí:

> Porque todo aquel que invocare el nombre del
> Señor, será salvo (Romanos 10:13).

> De cierto, de cierto os digo: El que cree en mí,
> tiene vida eterna (Juan 6:47).

> Porque por gracia sois salvos por medio de
> la fe, y esto no de vosotros; pues es don de
> Dios; no por obras, para que nadie se gloríe
> (Efesios 2:8-9).

A continuación sugerimos una manera en que puede usar
un versículo bíblico:

> He aquí, yo estoy a la puerta y llamo; si alguno
> oye mi voz y abre la puerta, entraré a él, y cenaré
> con él, y él conmigo (Apocalipsis 3:20).

---

13) *Traducción del Nuevo Mundo,* 1987.

Cristiano: Jesús está a la puerta y está tocando. **¡Él desea entrar en su corazón!** Jesús también dijo que si *alguno* oye Su voz y abre la puerta, entrará en su casa y cenará con usted y usted con Él. Usted puede ser salvo y tener compañerismo con el Salvador. Esto es lo que Él desea para usted.

Cristiano: Si no quiere dejar a Jesús esperando a la puerta, *permítale entrar.* Cuando Él venga a su vida, usted tendrá el regalo de la vida eterna, además del compañerismo con Él, y Él con usted.

Cristiano: Sé que tal vez usted se sienta incómodo o aun temeroso para orar solo, así que permítame guiarle en cuanto a lo que puede decir en su oración:

> Padre, pensé que te estaba sirviendo a Ti por medio de la Sociedad Watchtower. Estaba equivocado. Te pido que me perdones, no sólo por servir en una organización falsa sino también por mis pecados. Me arrepiento y me alejo de la autoridad de la Sociedad Watchtower y de mis pecados. De acuerdo con Tu Palabra, confieso que Jesús es el Señor y el único Salvador, y creo en mi corazón que Dios lo resucitó de entre los muertos. Ahora comprendo que no hay nada que yo podría hacer para ganar Tu favor, excepto creer en el Señor Jesucristo. Te pido que vengas a mi corazón y seas mi Salvador. Gracias por Tu misericordia, Tu gracia y Tu amor por mí. Te acepto ahora como mi Señor y Salvador, y sólo

a Ti te serviré el resto de mi vida. Todo esto lo
declaro por fe y declaro mi fe en Jesús, el Hijo
de Dios. En el nombre de Jesús. Amén.

¡Felicidades! Usted ha rescatado a uno de los Testigos de
Jehová del poder y de la autoridad de *La Atalaya,* y lo ha
guiado al Reino de Dios.

Ahora empieza su trabajo discipulando a este nuevo cristiano. Le animo a seguir atentamente las directrices que
encontrará en el capítulo 8, donde tratamos de algunos problemas que él podría enfrentar ahora.

En esta etapa puede usar también pasajes bíblicos para
animarlo a medida que inicia su nuevo caminar con Cristo;
pero usted siempre debe orar por su nuevo hermano o nueva
hermana en Cristo. Durante esta transición, la vida de esa
persona tendrá que empezar de nuevo. Pero usted estará
allí para amar, alimentar y edificar a su nuevo hermano o
hermana.

No sólo el ex Testigo tiene ahora un testimonio; usted
también lo tiene. Al fin puede testificar a otros que, con la
sabiduría del Señor y con técnicas evangelísticas probadas,
todo cristiano puede guiar a un Testigo de Jehová para que
salga de la Sociedad Watchtower, dirigiéndolo a la gracia
salvadora de nuestro Señor y Salvador Jesucristo.

CAPÍTULO 8

El Recorrido Hacia la Gracia

Una vez que el Testigo rechaza la autoridad de la Sociedad Watchtower, principia su *Recorrido hacia la Gracia.* Mientras era uno de los Testigos de Jehová, él sólo podía abrigar la esperanza de que si se esforzaba lo suficiente al trabajar por su religión, tal vez tendría "éxito" y escaparía de la destrucción en el Armagedón. Su "salvación" se basaba en obras, en lo que la Sociedad Watchtower le ordenaba hacer; de lo contrario, tendría que sufrir las consecuencias.

Ahora que él puede leer la Biblia sin los lentes oscurecidos de *La Atalaya,* usted tiene la oportunidad de ministrarle la Palabra de Dios sin el filtro de las interpretaciones de La Atalaya. Sin embargo, al discipular al ex Testigo, tendrá que ayudarle a discernir y a separar la teología de Watchtower de lo que él mismo comprenda al leer las Escrituras.

Consejos para el discipulado

• Evite discutir temas tales como la celebración de los días feriados, los cumpleaños, el servicio militar, la política y las transfusiones de sangre; es decir, asuntos que eran ofensivos para él cuando estaba en la Sociedad Watchtower. Con el tiempo él mismo descubrirá la verdad respecto a esos temas.

• Tampoco mencione versículos referentes a la vida después de la muerte, el infierno, la Trinidad, los 144,000 (Apocalipsis 7) y el alma. A él lo entrenaron muy bien para refutar esos temas. No arguya con él al respecto.

En algún momento tratarán de esos temas, pero por ahora enfóquese en otras áreas de la vida espiritual del ex Testigo. Esto requerirá que usted sea paciente y comprensivo con él durante su transición para dejar la mentalidad de la Sociedad Watchtower, integrarse a la sociedad y aprender lo que es el verdadero cristianismo.

Cuéntele su testimonio

Para el ex Testigo, su *Recorrido hacia la Gracia* empezará con usted y su testimonio. Cuéntele cómo era usted antes y cómo llegó a conocer a Jesús como su Salvador y Señor.

Háblele de la paz y seguridad que siente, no por asistir a una iglesia cristiana, sino porque Jesús ha transformado su vida. Explíquele cómo su relación con Cristo ha cambiado su vida matrimonial, la relación con sus hijos y nietos, con la familia extendida, amigos, compañeros de trabajo y otros (todo lo que se aplique a su vida).

Asegúrele al ex Testigo que, el cambio que usted ha experimentado en su corazón, pronto puede ser el testimonio de él también. **Posiblemente necesite que refuerce esta seguridad una y otra vez.**

Participen en actividades

Hay ciertas actividades que puede realizar con el ex Testigo durante su *Recorrido hacia la Gracia,* las cuales le ayudarán en su transición para salir de la Sociedad Watchtower. Aunque estas actividades tal vez parezcan no tener valor alguno, le aseguro que tienen un propósito definido:

1. **Hable con él.** Más importante aún: escúchelo. Él tendrá mucho que decir a medida que exprese sus sentimientos.

2. **Asegúrele** que son normales las emociones que está sintiendo después de salir de la Sociedad Watchtower. Asegúrele que, al entrar en una vida nueva en Cristo, experimentará frescor en su existencia y su vida tendrá propósito; al pasar el tiempo, las emociones negativas desaparecerán.

3. **Esté atento para reconocer** síntomas de depresión. Si percibe uno de esos síntomas, **anímelo** a mantenerse ocupado. Quizás necesite realizar actividades al aire libre, tales como caminar, correr, nadar o montar bicicleta. Si prefiere otro tipo de actividad, puede reorganizar o pintar su casa, limpiar el garaje, trabajar en el jardín o encontrar un pasatiempo. *Necesita permanecer ocupado.*

4. **Ayúdele a remplazar lo que perdió: sus amistades.** Preséntele personas que usted sabe que lo escucharán y

animarán. Elija amigos que disfrutarán con él de actividades como las que mencionamos en el punto 3.

5. Cuando él lea la Biblia, pregúntele si le permitiría **acompañarlo** para **leer juntos.** Si él le hace preguntas que no puede responder, dígale sinceramente: "No lo sé pero *investigaré*". Cumpla su promesa y busque las respuestas.

Al ser su amigo y realizar juntos estas actividades, no sólo lo ayuda en la transición para salir de Watchtower sino que lo está ayudando a descubrir una nueva vida en Cristo. Usted es un testimonio para él, mostrándole que realmente se interesa en él y que la vida cristiana está llena de paz y gozo.

Al pasar el tiempo, él se sentirá aceptado al formar parte de la familia de Dios, no parte de una religión. Él desconfía de la religión ahora. Necesita empezar a comprender su nueva relación con Cristo Jesús.

El problema de la confianza

Anteriormente mencioné al Testigo que exclamó: "¡Jehová me falló! ¿Qué garantía puede darme usted de que Jesús no me fallará también?" Después que él y su esposa aceptaron a Cristo, ella reconoció que, después de saber que la Sociedad Watchtower los había engañado en cuanto a quién es Jehová Dios, tenían problema para confiar en Dios.

¡Por esta razón es crucial que usted cumpla sus promesas! Recuerde: la Sociedad Watchtower también hizo promesas al declarar quién era Dios, y resultó ser falso.

El ex Testigo necesita aprender a confiar otra vez. Y esa

confianza empezará con **usted**. Después de todo, antes él lo consideraba pagano, ¿se acuerda?

Cuando aprenda a confiar en usted, verá a Cristo en la vida suya y después aprenderá a confiar en Cristo mismo. Por eso es tan importante que le cuente su testimonio de cómo Cristo transformó su corazón y su vida. Antes él conocía la letra de la ley —La Atalaya—, no la experiencia transformadora de vidas cuando se acepta la obra consumada del Señor Jesucristo que usted ha vivido. Esto también es parte de su *Recorrido hacia la Gracia*.

La decisión de aceptar a Cristo

Veamos algunas ideas que le ayudarán a discipular al ex Testigo. Tal vez necesite anotar puntos clave que desea mencionarle.

Debe entender esto: Aún después de salir de la Sociedad Watchtower, **el ex Testigo deseará trabajar por el Reino para ganar el favor de Dios.** Este será uno de los últimos puntos básicos de la influencia de Watchtower que deberá eliminarse: las obras. Jesús tocó el tema de hacer las obras de Dios:

> Entonces le dijeron: *¿Qué debemos hacer para realizar las obras de Dios? Respondió Jesús y les dijo: Ésta es la obra de Dios, que creáis en el que Él ha enviado.*[1]

El ex Testigo probablemente no conozca esta declaración. Las únicas obras con las que está familiarizado son asistir a

---

1) Juan 6:28-29 (RVG). Énfasis añadido.

todas las reuniones patrocinadas por Watchtower, y la visitación de casa en casa. Pero hay **sólo una manera** de realizar
las obras de Dios: **creer en el Señor Jesucristo.**

En su carta a los Efesios, Pablo escribió:

> Porque *por gracia sois salvos* por medio de la fe,
> y esto no de vosotros; pues *es don de Dios;* no
> por obras, para que nadie se gloríe.[2]

Efesios 2:8-9 es el pasaje bíblico perfecto para el ex Testigo porque habla de la gracia de Dios. En este texto, la
palabra "gracia" se refiere específicamente al hecho de quitar
la culpa. La gracia de Dios quita la culpa.

El ex Testigo quizás se sienta culpable por varias razones:

- Por haber abandonado la fe que antes creía verdadera.

- Por no estar trabajando para agradar a Jehová.

- Por los años que siente haber desperdiciado en la
  Sociedad Watchtower.

- Por aquellas personas a las que persuadió para
  que se unieran a la organización Watchtower.

- Por haber sido excomulgado y por el rechazo de
  su familia y sus amigos.

El perdón de Dios no es tan solo un acto de misericordia
o compasión. Su gracia para perdonarnos elimina el dolor
de la culpa y la condenación que sentimos por lo que hici-
mos o por nuestra vida destruida.

---

2) Efesios 2:8-9 (RVG). Énfasis añadido.

Dios conoce el poder de la culpa y la condenación que eso causa; pero, gracias a Su gran amor somos salvos por Su gracia, ese poder que quita la culpa. La condenación ya ha sido confrontada por Dios, por Aquel que es Gracia.

A Dios le agrada dar

En mi penúltimo año en la secundaria participé en una competencia escolar, vendiendo productos de limpieza para el hogar a fin de recaudar dinero para mi colegio. Quien vendiera más ganaría un aparato estéreo. Ese era el sueño máximo de todo adolescente y yo estaba decidido a ganármelo.

Día tras día, semana tras semana, iba de casa en casa vendiendo la mayor cantidad de productos que me era posible. Realmente ponía todo mi empeño para que cada persona que contactaba me comprara algo. Con cada venta estaba más cerca del momento cuando me llamarían al escenario y me darían ese estéreo.

Finalmente llegó el día cuando anunciarían al ganador. Yo había vendido más de 180 cajas. Eso equivalía a 720 botellas de un galón. Estaba seguro de que ganaría.

Sin embargo, perdí.

Quedé devastado. Había trabajado arduamente porque me había propuesto ganar el estéreo. Esa noche, mientras mi papá y yo volvíamos de la iglesia a la casa, le expresé lo decepcionado que me sentía. En ese momento yo no sabía que estaba a punto de experimentar un milagro.

Una pariente se enteró de mi derrota. Ella se había comprado un estéreo nuevo, marca Sanyo. Pero, por amor lo llevó a nuestra casa y lo conectó en mi dormitorio. Al llegar a casa, fui a mi habitación y encendí la luz. Allí, sobre la cómoda, estaba el flamante estéreo, conectado y listo para funcionar.

Cuando lo vi, aspiré profundamente y quedé paralizado junto a la puerta. Alguien me había bendecido con un regalo. Yo no lo había ganado; me lo dieron por amor. El otro estéreo representaba todo mi trabajo, pero al fin de cuentas, lo perdí. El que tenía frente a mí representaba el amor de alguien por mí.

El regalo que me dieron en ese día maravilloso quitó el dolor que había sentido antes por mi pérdida. El regalo no fue el aparato estéreo, sino la **gracia** de mi tía hacia mí.

Este es sólo un ejemplo minúsculo del amor supremo de Dios por nosotros: Su gracia. A Dios le agrada dar. Y, por Su gracia —ese poder para quitar la culpa— somos salvos por medio de la fe, simplemente al creer.

En los siguientes pasajes bíblicos hay un patrón que se repite respecto a la gracia de Dios. El propósito de un patrón es revelar lo que su creador desea que veamos: en este caso, el regalo de Dios.

Efesios 2:8 declara que la gracia de Dios nos provee Su regalo: la vida eterna. Romanos 6:23 declara:

> ... *el don de Dios* es vida eterna en Cristo Jesús
> Señor nuestro.

Juan 3:16 dice:

> Porque de tal manera amó Dios al mundo,
> que *ha dado* a su Hijo unigénito, para que
> todo aquel que en Él cree, no se pierda, mas
> tenga vida eterna.[3]

Estos son ejemplos de cómo Dios repite algo deliberadamente para ayudarnos a creer que **no tenemos que hacer
obras para merecer Su favor.** Es por Su favor que recibi-
mos Su don. El aparato estéreo que me dieron ese día no
fue resultado de mi trabajo. Fue producto de la gracia de
alguien debido a su amor por mí. Yo no lo gané; la gracia
me lo dio por amor.

Para los que salen de la organización Watchtower, el *Recorrido hacia la Gracia* los someterá a una tremenda pérdida,
dolor y tristeza. Sin embargo, en ese dolor está la gracia de
Dios, lista para tocar esa vida quebrantada, rodeándola con
los brazos de nuestro Señor y Salvador Jesucristo.

Que Dios le bendiga mientras ofrece una respuesta a los
amados Testigos de Jehová con quienes tenga contacto en
su caminar con Cristo. Amén.

---

3) Énfasis añadido.